MW00834775

Bajo este sol tremendo

Carlos Busqued

Bajo este sol tremendo

EDITORIAL ANAGRAMA
BARCELONA

Diseño de la colección: Julio Vivas y Estudio A
Ilustración: Ximena Ruiz

Primera edición española: febrero 2009
Primera edición impresa en Argentina: marzo 2009

© Carlos Busqued, 2009
© EDITORIAL ANAGRAMA, S. A., 2009
    Pedró de la Creu, 58
    08034 Barcelona

ISBN: 978-84-339-7185-2
Depósito Legal: B. 1325-2009

La presente edición ha sido realizada
por convenio con Riverside Agency, S.A.C.

Impreso en Argentina

Impresión de interior: Grafinor S.A.
Impresión de cubierta: Artes Gráficas del Sur.

El día 3 de noviembre de 2008, un jurado compuesto por Salvador Clotas, Juan Cueto, Luis Magrinyà, Enrique Vila-Matas y el editor Jorge Herralde, otorgó el XXVI Premio Herralde de Novela, por unanimidad, a *Casi nunca,* de Daniel Sada (México, 1953). Resultó finalista *Un lugar llamado Oreja de Perro,* de Iván Thays (Perú, 1968).

También se consideraron en la última deliberación tres valiosas novelas de autores muy poco conocidos, que se publicarán el año próximo en esta colección: *Bajo este sol tremendo,* de Carlos Busqued (Argentina, 1970), *Temporada de caza para el león negro,* de Tryno Maldonado (México, 1977), y *Asuntos propios,* de José Morella (España, 1972).

... Then, once by man and angels to be seen, in roaring he shall rise and on the surface die.

ALFRED TENNYSON,
The Kraken

1

—Los clavos se aferran al tracto digestivo del animal y así podemos traerlo a la superficie sin que en el esfuerzo por escapar se despedace. Son muy voraces y tienen hábitos caníbales, más de una vez el calamar que sacamos al bote no es el que tragó el señuelo, sino uno más grande que se está comiendo al que mordió originalmente.

Cetarti estaba en el living, fumando porro y mirando Discovery Channel, un documental sobre la pesca nocturna de calamares Humboldt en el Golfo de México. El televisor estaba sin volumen porque el audio era en inglés y subtitulado en castellano. Parado sobre un bote, un tipo mostraba con una mano los señuelos usados para la pesca del Humboldt, una especie de cilindros luminosos de los que colgaban cincuenta clavitos orientados oblicuamente hacia arriba. Simulando los movimientos del calamar con la otra mano, el tipo explicaba el tema: el Humboldt se aproxima al señuelo desde abajo, abre los tentáculos y lo sujeta para tragarlo en uno o dos movimientos. Los clavos se fijan en el esófago y al pescador sólo le queda traerlo hacia el bote.

–*Lo que tampoco es fácil: estos predadores de hasta dos metros de largo tienen mucha fuerza y cuando llegan al bote están furiosos. Cada temporada del Humboldt hay accidentes donde mueren pescadores. Estos animales comen con ferocidad, siempre tienen hambre y son sumamente agresivos.*

Sonó el teléfono. El identificador de llamadas indicaba «desconocido», lo que significaba una llamada desde teléfono público. O de alguien que ocultaba su número deliberadamente. No atendió. Volvieron a insistir dos veces, a la tercera levantó el auricular.

–Diga.

–Buenas noches, tengo este teléfono como del señor... –del otro lado, una voz gruesa y sibilante vaciló como si estuviera leyendo– Javier Cetarti, ¿estará él?

–Soy yo.

–Ah, mucho gusto, señor. Mi nombre es Duarte, le hablo desde Lapachito, provincia del Chaco. Soy el albacea del señor Daniel Molina.

Cetarti no dijo nada, ninguno de los nombres le sonaba conocido.

–Daniel Molina era el... –la voz dudó, un poco incómoda–, ehm, concubino de su madre. Tengo una mala noticia para darle.

Mientras Cetarti escuchaba, el tipo del documental hizo que el camarógrafo apagara las luces y filmara el agua. La pantalla quedó a oscuras salvo por el amarillo del subtitulado:

—*A una veintena de metros por debajo de nosotros hay un cardumen de sardinas y los calamares están cazando. Podemos ver el resplandor verde de sus ojos fosforescentes...*

2

Dieciséis horas después de colgar el teléfono (el tiempo que tardó en terminar el documental de los calamares Humboldt, ver otro sobre arsenal nuclear y política de disuasión de EE.UU. en la década de 1950, armar porros para el camino, darle de comer a los carassius de la pecera, cerrar las ventanas, subirse al auto y viajar setecientos cincuenta kilómetros), Cetarti entró a Lapachito. Bajó el vidrio de la ventanilla para ventilar un poco el auto. Lo golpeó una bofetada de olor a mierda, así que volvió a cerrar. Las calles del pueblo estaban descuidadas y cubiertas de una fina capa de barro, debía haber llovido recientemente, aunque no había nubes. Miró el reloj, eran casi las nueve, y el sol ya pegaba fuerte. Dio un par de vueltas, como para conocer. No vio nada lindo, casi todas las casas y edificios tenían la pintura descascarada y en muchas paredes se veían manchones de salitre y grietas bastante gruesas, producto del hundimiento desparejo de las construcciones. El resultado visual era desolador. Paró en una estación de servicio cerca de la plaza del centro. En el baño se lavó la cara, se mojó el pelo y se echó desodorante. Pasó al bar y pidió un café con leche y dos medialunas. Mientras le servían llamó a Duarte por teléfono. Duarte ya había declarado, pero tenía que ir a buscar un par de actas para los trámites que estaba haciendo, así que quedaron en verse en la comisaría a las diez menos cuarto de la mañana. Llegó unos minutos antes, Duarte ya lo esperaba en la puerta, parado al lado del escudo de la policía del Chaco. Era un hombre sólido de cara colorada, gordo y grandote, que debía tener alrededor de sesenta años. Tenía una sonrisa amplia y una dentadura asquerosa, abundante en dientes amarillentos comidos por las caries. Traía un portafolio de cuero. Saludó a Cetarti estrechándole la mano con fuerza. Tenía unas manos enormes.

—Me alegro de que hayas llegado bien. Lamento conocerte en estas circunstancias.

Lo palmeó en la espalda y lo invitó a pasar primero.

Caminaron por un pasillo hasta llegar a una oficina donde un hombre de uniforme leía el diario en internet, con un ventilador de escritorio apuntándole directamente. Duarte los presentó, el policía se llamaba oficial Cardozo, a cargo de la investigación. Cardozo los invitó a sentarse, acomodó el ventilador para repartir más equitativamente el flujo de viento y le relató más o menos lo mismo que Duarte la tarde anterior, sólo que sin escatimar detalles escabrosos. Daniel Molina, «suboficial retirado de la fuerza aérea y

15

representado aquí por el señor Duarte», el mediodía anterior había matado a su concubina y a un hijo de ésta. Es decir, la madre y el hermano de Cetarti. Los había matado con una escopeta de repetición, les había disparado en el pecho. Después se había sacado la dentadura postiza y se había disparado en la cabeza, apoyando el cañón contra la barbilla.

—Están las fotos de la escena, si quiere verlas —dijo Cardozo alcanzándole una carpeta.

Era una veintena de fotos que Cetarti pasó rápidamente. La cabeza del tal Molina era un desastre (vista al revés parecía una bolsa desfondada), pero las caras de su madre y su hermano estaban intactas y los dos con el mismo gesto de estar mirando fijamente algo no demasiado entretenido. Se asombró de lo viejos que parecían, su hermano especialmente, si recordaba bien tenía cuarenta y tres años, y parecía de sesenta. Pasó sólo una vez las fotos y las volvió a dejar sobre la mesa.

—Está claro que el señor Molina ejecutó a la señora y su hijo —retomó Cardozo— y que después atentó contra sí mismo. Lo que no sabemos es cuál fue el detonante de la situación. No sé si usted podría ayudarnos con eso.

—No sabría decirle.

—Espere un momentito que le vamos a tomar la declaración, directamente... —El oficial minimizó el diario en la computadora, abrió el procesador de textos, tomó los datos de Cetarti y le pidió que repitiera lo que había dicho. Cetarti lo hizo dócilmente.

16

—¿Su madre en algún momento le dijo algo que pudiera hacer prever este desenlace?

—Hace años que no veía a mi madre. No sabía que vivía acá, ni que se había vuelto a casar.

Cetarti se removió en su silla. Pensó en que le gustaría desaparecer del lugar en ese momento. No pudo pensar en ningún lugar agradable donde aparecer.

—¿Y su hermano? —dijo el policía—. ¿Había enemistad de su hermano con el señor Molina?

—Desconozco. Menos todavía. Me sorprende que vivieran juntos, él se fue de mi casa antes que yo.

—No vivían juntos —intervino Duarte—, tu hermano estaba de visita.

—Lo mismo.

El policía anotó un par de líneas en la parte de atrás de una fotocopia y guardó la nota en la misma carpeta que las fotos.

—En un ratito terminamos.

Terminó de tipear en el documento, imprimió dos copias y se las pasó a Cetarti para que las firmara.

—Con esto ya estamos. Si reconocen los cadáveres se los pueden llevar apenas hagan el trámite, los cuerpos están en el depósito del cementerio a disposición de las familias. —Abrió un cajón y sacó un sobre manila que le alcanzó a Duarte—. Acá están las copias que me pidió.

Duarte agarró el sobre y le dio las gracias, le dijo que, cualquier cosa, le avisaba. En la vereda le preguntó a Cetarti si estaba en auto. Cetarti le contesto que sí.

—Buenísimo, el cementerio está de acá a un par de kilómetros y yo me vine a pie. ¿Me acercás? De paso charlamos un par de cosas.

3

Cetarti había prendido el aire acondicionado y adentro del auto hacía frío, pero a la vez el sol que pegaba a través de los vidrios hacía arder la piel como si no mediara protección. La piel sudaba y el sudor se enfriaba y las sensaciones de frío y ardor no se anulaban sino que coexistían de una manera desagradable. Lo mismo era mejor que estar afuera. Duarte le indicó el camino, lo hizo doblar un par de veces y después de diez o doce cuadras salieron a una avenida un poco más grande.

—Y listo, acá dale derecho que son dos kilómetros más o menos. Cuando estemos por llegar te voy avisando.

A pesar del sol castigante, la alfombra de barrito sobre el pavimento no se había secado ni un poco. Estaba en todas las calles.

—Llovió mucho, parece —dijo Cetarti.

—No, acá no llueve desde abril más o menos. ¿Vos decís por el barrito?

—Ahá.

—No, eso es porque subieron las napas, el agua está casi al ras del suelo. Mirá las casas: todas rajadas. Ahora todo el terreno es barro, se hunden. Los pozos negros revientan, mucho de este barrito de la calle es mierda y meo de los pozos negros. Por eso se han muerto los árboles, se pudrieron todos el primer año. Hacé lavar el auto cuando te vayas, porque se te va a pudrir toda la chapa, hacele lavar bien los guardabarros por adentro, este barrito es veneno para la chapa de los autos.

Duarte tenía razón, la mayoría de los autos de la calle estaban a medias comidos por el óxido.

—Le agradezco. Y esto hace cuánto que está así.

—Y..., del terremoto de Caucete, más o menos al año, año y medio empezó a subir el agua. Y así como ahora debe estar hace cuatro años, cinco capaz.

—¿Y por qué la gente no se va?

—Porque como fue de a poco la gente se acostumbra, y aparte vos te vas a reír, pero acá hay guita. Mucha gente de acá vive muy bien del campo.

—¿Pero y no es que se pudre todo?

—Lo de las napas se da acá nomás en el pueblo, que es una depresión. Saliendo unos ocho kilómetros ya está bien la tierra, es más alto.

El paisaje del pueblo se deslizaba alrededor del auto, casi brillando con la iluminación malignamente potente del sol.

—Claro, sin árboles el sol es algo tremendo lo que pega.

—Sí, pega fuerte, es bastante castigador el sol. Pero

20

uno se acostumbra, tampoco es que no se puede estar.

Se quedaron en silencio unos minutos, empezaban a ralear las casas a los costados de la calle.

—Ya casi estamos llegando. Vos perdoname que te pregunte así esto, pero, eh, ¿vos qué vas a hacer con tu mamá y tu hermano?

—...

—Con los cuerpos, digo. ¿Te los vas a llevar a Córdoba?

Cetarti pensó unos segundos.

—Si puedo y es menos lío enterrarlos acá... Hay que ver qué plata cuesta, también, qué trámites hay que hacer. La verdad que no sé muy bien, me agarró de sorpresa esto.

—Bueno, acá la plata no es tu problema. Molina tenía el seguro de sepelio estándar de la fuerza aérea y uno suplementario para grupo familiar, tu vieja entra de una y a tu hermano lo podemos dibujar también, a la vista de los acontecimientos. Sobre todo si no gastamos mucho.

—Bien, qué suerte. Lo que usted vea que conviene, entonces.

—Bueno, ahora vemos. El cementerio es aquel alambrado y la entrada es ahí donde están las rejas negras.

Cetarti estacionó bajo un árbol frente a las rejas y bajaron. Un perro se acercó a orinar una rueda. Duarte lo apartó con una patada bastante cruel, debajo de las costillas.

En el depósito del cementerio los recibió un empleado municipal vestido con shorts, una camiseta de Chaco For Ever con lamparones de transpiración, botas de goma y barbijo alrededor del cuello. Los hizo llenar unas planillas, sacó dos barbijos de un cajón y les echó desodorante. Le extendió uno a cada uno.

—Pónganse esto. Hace casi seis horas que no hay luz, y con el calor hay cuerpos que están oliendo fuerte.

—Si es por mí —dijo Cetarti—, yo ya los reconocí en fotos.

El empleado meneó la cabeza.

—Tiene que hacerse en forma personal.

Se pusieron los barbijos y lo siguieron al lugar de las heladeras. El piso tenía uno o dos centímetros de agua encima, por lo que había una especie de pasillos construidos con plataformas de madera. Duarte y Cetarti caminaron sobre la madera, el empleado no porque tenía botas de goma. El desodorante del barbijo no detenía en nada la pestilencia a muerte. Habían dispuesto los cuerpos de su madre y su hermano desnudos y juntos en la misma bandeja. Había algo de incestuoso en la imagen, a pesar de las miradas perdidas y los agujeros de perdigonada. Cetarti salió afuera para vomitar apoyado en el tronco de un ciprés. Quiso enjuagarse la boca con el agua de una canilla que había a un par de metros sobre el pasillo, pero pensó que con esa agua se lavaban los floreros de las tumbas, que esa canilla era la punta de un sistema de cañerías que reptaba entre todo ese barro lleno de *muertos,* y la idea lo hizo vomitar de nuevo. Salvo por el desayuno, tenía el estómago vacío y las últimas fueron arcadas huecas y bastante dolorosas.

Un par de minutos después salió Duarte y le preguntó si estaba bien.

—Si querés quedate acá y firmo como que los reconociste. ¿Tenés tu documento?

—Sí. Se lo agradecería.

Cetarti se enderezó, sacó la billetera y le pasó el documento.

—Andá al auto y esperame ahí.

En el auto se enjuagó la boca con los restos de agua mineral que quedaban en una botella de litro y medio que había comprado para el viaje. Prendió el aire acondicionado y la radio. Sintonizó una emisora local que pasaba chamamé. Al rato Duarte le golpeó la ventanilla para que sacara la traba de su puerta.

—Bueno. Ya está —dijo, acomodándose en el asiento—. Los hice cremar, ¿te parece? Y nos ahorramos el velorio y las pelotudeces. Van a estar para mañana tipo dos de la tarde.

—Sí, me parece bien. Muchas gracias por todo.

—No es nada, yo esto lo tengo que hacer igual. Soy el albacea de Molina.

A Cetarti le causó gracia la palabra «albacea», le parecía fuera de lugar. Sonaba a película, la típica escena del despacho lujoso donde un abogado lee el testamento del millonario difunto. Y eso no tenía nada que ver con este pueblo casi fantasma, los muertos a escopetazos y, fundamentalmente, con el hombretón de dientes podridos que sonreía como en una propaganda de dentífrico del infierno.

—Él tendría que haber hecho lo mismo por mí, si

23

me moría antes. Yo lo había nombrado mi albacea. Ahora tengo que buscar otro.

Cetarti se lo quedó mirando.

—En la fuerza aérea, por las dudas te mueras nombrás a un compañero como albacea, es para acompañar a la familia en todo lo que tenga que ver con los papeles y trámites ante la fuerza y gestionar quién y cómo paga los gastos de entierro, los seguros de vida y esas cosas. Molina y yo somos suboficiales de la fuerza aérea. Yo soy y Molina era, mejor dicho. ¿Vos ya estás bien?

—Bastante mejor.

—Te voy a dar algo que te va a hacer bien.

Duarte rebuscó entre los bolsillos internos de su portafolios, sacó un cigarrillo armado y le dio fuego. Con la primera bocanada el auto se llenó de olor dulzón. Duarte se lo extendió a Cetarti, que se había quedado mudo de la sorpresa.

—Qué ponés esa cara de pelotudo —dijo el otro reteniendo el aire—, este auto tiene un olor a porro que tumba, papito.

Cetarti agarró el cigarrillo.

—Vas a quedar una lechuguita con esto. Y la otra cosa pendiente que tenemos que hablar es la guita que puede haber para vos.

De las noticias que le había dado Duarte la noche anterior, la que había movido a Cetarti hasta Lapachito era la de que había un seguro de vida factible de ser cobrado. Lo habían echado del trabajo hacía seis meses (falta de iniciativa, conducta desmotivante) y ya se había comido casi la totalidad de la indemnización sin dar golpe.

—El tema es así: Molina había sacado un seguro de vida a nombre de tu mamá. Son treinta mil mangos más o menos. No es de una empresa de seguros, sino de la obra social de la fuerza. Como pasaron las cosas, se pueden dibujar algunos firuletes para que cobres vos esa plata. No es fácil, pero si podemos, sacamos la guita y la repartimos cincuenta y cincuenta, qué te parece.

—Me parece que podemos ir presos.

Duarte se rió.

—No no, eso nunca, si vemos que está espesa la mano no hacemos nada, yo conozco a la gente de la movida. Pero no creo. Yo digo que hay que probar. Vos no sos discapacitado en nada, ¿no?

Cetarti le devolvió el porro a Duarte.

—No.

—Bueno, yo me pongo en campaña con ese tema en el Círculo de Suboficiales en Resistencia y te aviso. Y qué tal, cómo estás ahora, ¿se te pasó?

—Sí, estoy casi bien. Es muy bueno este porro.

—Ha, ha, sí, etiqueta negra paraguayo. El aroma que tiene, viste. Si algún día querés comprar, tengo casi siempre.

—¿Y usted es militar y vende marihuana?

—Estoy retirado. Antes no fumaba. Empecé a fumar por el glaucoma, me dijeron que hacía bien. Y no vendo: fumo, y tengo unos amigos que me traen de Paraguay. Te decía de onda porque me caíste bien.

Fumaron un rato más, sin hablar y escuchando chamamé. Al cabo de un rato, desde algún lugar lejano y lento, la voz de Duarte le dijo que fueran a comer. Cetarti le respondió que no podía manejar. Duarte le dijo que si quería manejaba él.

Pararon en una parrilla de camioneros, cerca de la ruta. Del techo del lugar colgaba un antiguo aparato para matar moscas y mosquitos, consistente en dos fluorescentes violetas dentro de una especie de jaula hecha con flejes de chapa. La base de la jaula era de acrílico transparente, y sobre ella se amontonaban los cuerpos de generaciones de moscas muertas. Pidieron para comer parrillada y papas fritas, para tomar Duarte pidió vino de la casa y Cetarti una gaseosa y un vaso con hielo. Comieron vorazmente sin hablar mucho, Duarte se enganchó con una repetición de Boca-Banfield que pasaban en la televisión y Cetarti se entretuvo leyendo los clasificados del diario local. Estaba un poco desilusionado, el dinero no parecía ser del todo seguro. Terminó de comer primero y dejó el diario para concentrarse en el aparato de matar moscas. No se daba cuenta de cuál era el mecanismo, y se puso a vigilar el aparato esperando que alguna cayera en la trampa para averiguarlo. Pasaron varios minutos en vano, no había moscas, el aparato debía ser bastante eficaz. Duarte seguía comiendo. Sin dejar de mirar el matamoscas, Cetarti le dijo que por ahí le interesaba revisar las cosas de su madre, si era posible ir a la casa. Duarte le dijo que sí, que él tenía la llave, que terminaban y lo llevaba.

—Lo único que capaz que nos encontramos con la mujer de Molina.

—Cómo la mujer.

Duarte le contó que Molina había tenido un primer matrimonio, una mujer y un hijo.

–Lo odian. O lo odiaban. Ahora que está muerto, digo.

Pensando un poco en el perfil de su madre, Cetarti dijo que se imaginaba que el tal Molina debía ser una persona difícil.

–Era alcohólico, viste. La gente se manda cagadas..., no era un tipo para tener hijos ni vivir con nadie. Ahora, como te digo una cosa te digo la otra: conmigo nunca tuvo problemas. Un tipo con ciertos códigos, cierta elegancia.

De algún lado llegó volando un mamboretá no muy grande, Cetarti le siguió la trayectoria hasta que chocó contra la jaula. Se escuchó un suave crepitar eléctrico y el mamboretá cayó al piso y quedó ahí, moviendo las patas pero sin poder volver a enderezarse.

–¿Cómo hizo para ubicarme?

–Tus datos estaban en una libreta de Molina. Se los habrá pasado tu mamá, alguna vez.

Eso era imposible, pero por las dudas Cetarti no preguntó más.

4

—Tengo llave, pero primero, por si acaso... —dijo Duarte, y tocó el timbre. Momentos después, la puerta se entreabrió y asomó la cara de una mujer grande, arrugada, pero de gesto duro y tirante.

—Qué hace, Duarte.

—Hola Marta. Acá vengo con el hijo de la, cómo es..., ehm, finada. Viene a ver algunas de las cosas de la mamá.

La mujer los dejó pasar. Duarte los presentó, la mujer era la ex esposa de Molina. Tenía puesto un vestido negro de mangas cortas, la cara salpicada de sudor y las manos mojadas hasta los antebrazos con una espuma jabonosa y sanguinolenta.

—Estaba limpiando el enchastre.

Para llegar a la casa propiamente dicha tuvieron que caminar unos metros por un pasillo. La casa era chica y producía una sensación de ahogo, una mezcla de olor a humedad y ropa sucia impregnada de sudor alcohólico se metía en la nariz y parecía invadir los demás sentidos. La mujer le señaló el dormitorio y le dijo que se fijara ahí, que ella iba a limpiar al lado de los armarios del living para que revisara despúes. Duarte lo dejó solo y fue con la mujer al living. Cetarti se sentó en la cama, que estaba sin hacer. La mujer hablaba con Duarte en voz baja, y a la vez había vuelto a limpiar, se escuchaban ruidos como si mojara algo en un balde y después lo refregara contra la pared. Revisó la mesita de luz que le quedaba cerca. Evidentemente no era la de su madre: había repuestos de máquinas de afeitar, una pistola Ballester Molina con guardas de Ejército y una caja de munición. Había un sobre con profilácticos, Cetarti casi vomitó de nuevo. Revisó la parte de debajo de la mesita de luz: había zapatos y una pila de revistas viejas de historietas: *El Tony, D'Artagnan*. Se levantó y revisó la otra mesita de luz, encontró el documento de su madre y veinticinco pesos, los guardó en un bolsillo. Fue al ropero y buscó en todos los vestidos y abrigos (no se animó a revolver entre la ropa interior) sin encontrar nada. Volvió a la mesita de luz de su madre, a la parte de abajo. Encontró una caja de zapatos con estampitas, recibos de la pensión, órdenes de consulta de la obra social, y una foto de él y su hermano de chicos, los dos en una plaza, parados al lado de un tobogán. Estaban de pantalones cortos, pulóver, medias blancas y zapatos. Debían tener entre tres y cinco años. La foto había salido un poco oscura, como si el día estuviera nublado. Los dos estaban serios y se agarraban la mano. En el fondo de la caja había un sobre, lo abrió y encontró setecientos pesos. Puso la foto junto al dinero

29

y guardó el sobre en otro bolsillo. Se volvió a sentar en la cama. Después se acostó y se tapó con las sábanas hasta la cabeza.

Lo despertó Duarte un rato después. Cetarti tardó un poco en darse cuenta de dónde estaba. Se sentía mal, tenía la ropa húmeda de sudor.

—Ahí están terminando de limpiar el living.

La ex esposa de Molina estaba sacando agua del piso con un lampazo, a su costado había un balde con agua espumosa y un cepillo flotando. Las paredes habían sido lavadas pero no habían quedado del todo bien, había rastros de sangre dibujando las trayectorias del cepillo. La mujer terminó de secar con un trapo la parte frente a los aparadores y le dijo que podía pasar. Cetarti revisó sin encontrar nada interesante.

—¿Me alcanzás el bolso, Marta? —dijo Duarte.

La mujer corrió el sofá, que tenía una parte tapada con una toalla (Cetarti reconoció el tapizado de la foto del cuerpo de su madre que había visto en la comisaría) y del piso levantó un bolso amarillo. Duarte lo agarró y se lo pasó a Cetarti.

—Esto es de tu hermano.

Cetarti agarró el bolso. Sacó lo que había encontrado en el dormitorio de su madre y lo metió adentro sin revisar. Alcanzó a ver ropa, un par de zapatillas y escuchó el ruido apagado de unas llaves. Dijo que gracias.

Salieron afuera, la mujer susurró un saludo y cerró la puerta. Duarte le preguntó a Cetarti qué pensaba hacer él. Cetarti se sentía como un buzo que acabara de trabajar un año en el fondo de una ciénaga. Le dijo que esperaba poder encontrar un hotel porque necesitaba ducharse y dormir una siesta.

—Hay un hotelito a una cuadra de la plaza, bastante bien.

Estacionó frente al hotel (el cartel decía «Residencial Lapachito») y se bajaron. Duarte le dijo que él seguía, que iba a hacer unas llamadas por el tema del seguro, que más tarde le avisaba. Cerró el auto y le dio las llaves. Cetarti entró al hotel y le preguntó al conserje si tenían televisión por cable. El hombre le dijo que sí, cable y ventilador. Cetarti pidió una habitación. Se bañó, prendió un porro y se tiró en la cama con un cenicero sobre el pecho. Encendió el televisor y cambió canales con el control remoto. Había una mosca revoloteando en la habitación y cada tanto chocaba o se posaba contra la pantalla. Recordó la trampa para moscas de la parrilla donde había comido al mediodía y pensó que tal vez el campo eléctrico que se formaba frente a la pantalla la atraía por alguna razón. Se puso a seguir la trayectoria de la mosca, tratando de encontrar algún patrón de conducta. Logró establecer que había ciclos largos de vuelo que terminaban con la mosca posándose sobre la pantalla, y ciclos cortos que terminaban con un rebote. Más o menos los ciclos se alternaban corto-rebote-corto-posarse-largo-posarse-corto. Después la mosca salió por un tragaluz abierto y Cetarti la siguió con el pensamiento. La mosca voló por los pasillos hasta llegar a la conserjería y se posó sobre el mostrador. En lugar del conserje que lo había atendido estaba el empleado del cementerio, vestido con la misma camiseta de Chaco For Ever y las botas. Anotaba algo en la ficha de ingreso de Cetarti. La mosca volvió a volar para ver qué escribía: debajo de su nombre y fecha de ingreso, el empleado había puesto «Cremar y entregar a las dos de la tarde». Cetarti ya estaba dormido.

5

Danielito había bajado el volumen para dar prioridad a la voz de su madre que salía del teléfono, pero sus ojos inyectados en sangre seguían fijos en el televisor. Estaba viendo un documental sobre las incursiones aéreas aliadas contra el corazón de la potencia industrial del Reich, en la última parte de la Segunda Guerra Mundial. El documental estaba hablado en inglés, y lo podía seguir a través de los subtítulos.

—No me estás escuchando —dijo su madre.

—Sí, mamá, te estoy escuchando.

—A ver, ¿qué fue lo último que te dije?

—Que hay que sacar los muebles al patio.

—Está bien, y qué más.

Muchos aviones llevaban camarógrafos que habían filmado los combates y gran parte del documental estaba ilustrado con ese metraje. Abundaban secuencias de bombarderos en llamas cayendo al vacío, a veces con pequeñas manchas blancas de los tripulantes en paracaídas. Sin soltar el auricular del teléfono, acercó la cara a la pantalla para ver si encontraba alguno que cayera *sin* paracaídas, pero, entre el granulado de la filmación original en 8 mm y el pixelado de la televisión vista de cerca, era imposible.

—Está bien, te llamo más tarde —dijo su madre después de esperar respuesta unos segundos—. ¿Hay alguna hora del día que no vas a estar drogado? Así no te molesto.

—No estoy drogado —mintió—, recién me levanto de la siesta, me despertaste vos.

Cambiaron un par de palabras más y colgaron, su madre primero. Danielito volvió a subir el volumen de la televisión. Más tarde la llamaría. Pero momentáneamente sobrevolaba Berlín, sometido a intenso cañoneo antiaéreo.

A las seis bajó a la piecita del sótano con un alfajor y un cartón de leche chocolatada. En la cama y tapado casi hasta la cabeza, el chico estaba despierto, se removía nervioso, gruñía de incomodidad. Danielito lo destapó y, como cada vez desde que estaba a su cuidado, la horrible cara del chico, pegada desprolijamente a una cabeza dos números más grande, lo miró con los ojos muy abiertos. Estaba transpirado, olía a sudor. Le pasó una toalla por la cara, el cuello y los brazos y prendió el ventilador. Sin desatarlo, lo acomodó hasta dejarlo sentado en una posición estable. Prendió el televisorcito que había frente a la cama y cambió canales hasta dejarla en unos dibujos japoneses. Con eso el chico se calmó bastante. Danielito peló el alfajor y se lo acercó a la boca. Lo ayudó a comerlo, palmeándolo en la espalda cada vez que se atragantaba con las migas. Cuando terminó, metió un sorbete en el cartón de leche chocolatada y se lo sostuvo accesible hasta que terminó.

—¿Te gustan ésos o te los cambio? —le preguntó señalando la televisión. El chico, que parecía una morsa empaquetada, lo miró dos milésimas de segundo y volvió a la pantalla sin responder. Danielito arrugó los dos envases y los tiró dentro de una bolsita de nylon que había en un rincón. Subió arriba, cerró la puerta con llave. Fue hasta su mesita de luz, sacó la latita de la marihuana, armó un porro y lo fumó mirando Animal Planet, un programa sobre elefantes asesinos. Habitualmente tomados por tranquilos y pasivos, los elefantes indios domesticados cada tanto leen mal un gesto, tienen dolor de muelas, intuyen un peligro. «O simplemente se hartan de los humanos», como explicaba el dueño de un circo norteamericano cuyo elefante mató de un colmillazo y luego aplastó a patadas a su domador en plena función. Luego, el animal había escapado para matar a otras dos personas y causar considerable daño a la propiedad pública y privada, antes de morir acribillado por la policía. Hasta los elefantes más pacíficos adorados en los templos de la India, cada tanto tienen su ataque y matan a su mahut. El de <u>mahut</u> o cuidador de elefantes es uno de los oficios más estresantes del mundo, y <u>casi todos los mahuts son alcohólicos</u>. Los elefantes de la selva también son temidos por la gente: en Mal Bazaar, Bengala Occidental, hay algunos que tienen más de treinta muertos en su cuenta y los nativos les han puesto nombres

35

individuales. Les conocen costumbres y zonas de aparición, y evitan encontrarse con ellos. Sin embargo los elefantes asesinos a veces bajan a las aldeas. Según coinciden varios testimonios, «son animales muy silenciosos y se acercan sin hacer ruido». Tocan la puerta y, cuando se les abre, golpean al incauto con la trompa. Una trompa movida por tres mil músculos y empujada por cinco toneladas de peso.

A las ocho menos veinte llegó Duarte. Saludó a Danielito palmeándole la cara.

—Qué ojitos, eh. Un chino con fiebre parecés.

Intercambiaron novedades y Duarte bajó a «controlar la cosa». Danielito se quedó mirando televisión. Escuchó cerrarse la puerta del sótano, los pasos en la escalera y los gritos del chico al reconocer a Duarte. Primero sonaban agudos, como un cerdo asustado. Después se apagaron un poco, como si al cerdo le hubieran envuelto la cabeza en una toalla. Subió el volumen del televisor.

6

El sueño de Cetarti fue a la vez profundo y perturbado, poblado de imágenes gomosas que no llegaban a la pesadilla. Durmió de un tirón hasta las cinco y cuarto de la mañana. Se despertó con dolor de cabeza y hambre. En el televisor, que había quedado prendido toda la noche, un grupo de personas festejaban las virtudes de una aspiradora eléctrica con filtro de agua. Incómodo, se revolvió en la cama un par de veces. Decidió salir a caminar para despejarse y ver si podía comprar algo para comer. Los negocios debían estar cerrados pero tal vez en la estación de servicio. Se dio una ducha y antes de salir terminó lo que quedaba del cigarrillo que había empezado la tarde anterior. En la conserjería le dijeron que durante la tarde le habían tratado de pasar un llamado pero que él no había atendido. El conserje le entregó un papel que tenía escrito un número y el mensaje: «Señor Duarte. Que lo llame a este teléfono a la mañana.» El número era el que Cetarti ya tenía. En el quiosco de la estación de servicio compró un paquete de galletitas saladas y una Coca-Cola y se las llevó para consumir caminando.

A diez cuadras de la plaza se acababa el pavimento y las construcciones se hacían más precarias, y quince cuadras más allá de ese límite llegó a una especie de represa donde pescaban unos chicos. Pescaban con línea enrollada en una lata de duraznos, no usaban caña. Se acercó, los chicos lo miraron con desconfianza. Les preguntó si habían sacado algo. Le señalaron un balde donde había una vieja del agua y dos pescados con bigotes, que no reconoció.

—¿Y éstos que son?

—Moncholitos.

Los pescados inspiraban aprensión, como si estuvieran enfermos.

—¿Y los comen? ¿La vieja también?

Los chicos asintieron.

—¿Y a la vieja cómo la hacen?

—Se abre y se saca lo de adentro y se tira. Después se saca lo de más adentro y se hace sopa. Y el pescado queda vacío y se tira la cáscara.

—¿Y qué otros pescados hay?

—Esto nomás. Mojarrones también hay. Tarariras.

Hizo doce cuadras más y llegó a la ruta. No la cruzó, prefirió volverse. A las nueve y media llamó a Duarte. Duarte le dijo que el tema del seguro salía por un tubo, pero que había que escribir algunas cosas, que fuera a su casa y lo resolvían en la computadora. Le dio las indicaciones para llegar y le dijo que lo esperaba a las once.

38

La casa de Duarte estaba alejada del centro, en una parte alta y sin agua en las calles. Tenía un jardincito adelante, separado de la vereda por una verja. Cetarti bajó del auto y tocó el timbre. Duarte salió en bermuda, camisa y ojotas y lo hizo pasar. Adentro estaba fresco, limpio y ordenado, lo más agradable que Cetarti había visto desde su llegada a Lapachito. Pasaron por un vestíbulo y entraron a una habitación grande, con dos de las paredes ocupadas por vitrinas llenas de modelos de aviones a escala. Un escritorio antiguo con cajonera, con una computadora sorprendentemente moderna. Al lado, una mesita sobre la cual había un televisor de 29 pulgadas con reproductor VHS, ambos conectados a la computadora con cables negros y rojos. La casetera estaba encendida, el display marcaba cuarenta y ocho minutos de película. El televisor estaba apagado, con la luz roja del stand by. Lo que quedaba de lugar al lado de los aparatos estaba ocupado por pilas de videocasetes. En otra mesa, más cerca de la única ventana, estaban desparramados varios subconjuntos a medio armar de la maqueta de un avión que Cetarti reconoció en la ilustración de la caja.

—Un B-36 —dijo después de acercarse para ver—. El gran garrote, el pacificador.

El otro hizo un gesto de aprobación.

—¿Te gustan los aviones?

—No. Pero anteayer vi un documental sobre disuasión nuclear norteamericana en la guerra fría, y hablaron de este avión. El bombardero más grande jamás construido. Cuatro toneladas de carga nuclear a cualquier lugar del mundo. Seis motores a pistón.

—Ahá, muy bien —dijo Duarte—. Esta versión que estoy armando lleva diez motores en realidad, a lo último para que volaran un poco más rápido les agregaron cuatro motores a reacción, pero lo mismo eran unos tortugones.

—Va a quedar enorme, qué escala es.

—Uno setenta y dos, no creo que venga este avión a escala más grande. Casi un metro de envergadura tiene. Ya llevo un par largo de semanas armando por separado los subconjuntos. Y después de ensamblar todavía hay que pintar casi todo, tengo mínimo para un par de semanas más.

Se escuchó una serie de zumbidos suaves y Duarte sacó un celular del bolsillo. Pulsó un botón y saludó a alguien del otro lado. Le hizo un gesto a Cetarti de que esperara un momento y desapareció en el interior de la casa. Cetarti hizo tiempo curioseando los títulos de los videocasetes apilados al lado del televisor: *Monsters Of She Male Cock*, *Asses Wide Open 11*, *Anal Cum Swappers #14*, *Squirtin' Vixens #3*, *Enema Nurses*, *Anal Grannies 25*, *Blowjob Ninjas*, *Transsexual Babysitters 02*, *Large Pussy Bonanza*, *Anal Slavery Cumpilation*, *Some Bitches Drink It All Up*, *Fetish Island #37*, *Extreme German Tortures 5*.

Duarte regresó al cabo de un par de minutos pidiendo disculpas por la interrupción.

—Bueno, estuve hablando con la gente de la obra social y el Círculo de Suboficiales y no va a haber problema. Pero hay que dejarle una parte a las palometas, viste cómo es esto.

La cosa salía pero iba a quedar así: eran treinta y dos mil pesos, doce para Duarte, doce para Cetarti y ocho para la gente que hacía las gestiones ante la obra social y la fuerza. A Cetarti le pareció bien, era plata que un día atrás no pensaba en tener, no podía poner ninguna objeción.

—Listo entonces. Pero hay que hacer un par de notas, que ya me pasaron el modelo. Las hacemos acá en la máquina.

Acercó una silla al escritorio.

—Sentate. Yo estoy tomando tereré, ¿Querés?

Cetarti le dijo que no, gracias, le preguntó si tenía soda. Duarte le trajo un vaso y se sentó a la máquina. Cuando movió el mouse, el televisor se prendió mostrando un primer plano que Cetarti tardó un poco en entender: lo primero que vio fue un reloj de pulsera que se movía rítmicamente. Décimas de segundo después advirtió que el reloj estaba alrededor de la muñeca de una mano, que desaparecía dentro de la vagina de una mujer. La mano cada tanto aparecía y se volvía a sumergir como si estuviera buscando algo que se le hubiera perdido.

—Perdón, perdón —dijo Duarte, apagando el televisor—, estoy digitalizando mis videos y me dejé el tele prendido.

—No se preocupe. Debe ser mucho más práctico.

—Qué cosa.

—El formato digital.

—Claro, sí. Totalmente.

Duarte abrió el procesador de textos.

—Mirá, la cosa es que vamos a declarar una incapacidad tuya, así te dan la plata, porque de otra manera medio que no te corresponde. Entonces declaramos que tenés una hemiplejia o algo así, ¿te parece?

—¿En serio no va a pasar nada?

—Estos pibes hacen once de éstas al año, despreocupate. Te hacen los certificados médicos, todo.

Duarte le tomó una serie de datos y después armaron las dos notas. Junto con ellas mandó imprimir cuatro formularios bajados del sitio de la obra social y se los hizo llenar. Cetarti firmó todo.

—Bueno, con esto estamos por ahora, supongo que esto va a tardar un par de semanas mínimo. Yo te voy avisando.

Duarte metió todas las cosas en un sobre y lo dejó encima del escritorio.

—Listo. A las dos tenemos que ir a buscar las cenizas. Son las doce y cuarto.

Abrió uno de los cajones y sacó una piedra de porro bastante grande. Armó un cigarrillo y se lo dio a Cetarti para que lo prendiera.

—¿Y todos esos videos son suyos?

—Sí, los fui juntando con los años, y ahora los estoy digitalizando porque con esto —señaló la computadora— te mal acostumbrás, viste, después es un embole darle adelantando la cinta. Y lo que ves o podés bajar de internet está bueno, pero estas cosas no las tienen mucho.

—Sí, estuve viendo los títulos.

—Ojo, que se pueden ver barbaridades ahora, a veces cosas mucho peores que esto que hay acá. Pero hay cierta manera de hacer las cosas que se va perdiendo y cuesta encontrar... Está todo cada vez, no sé cómo decirte, más limpio, más profesional. Y eso atenta contra cierta otra cosa por la que uno mira el porno, a veces.

—No entiendo.

—Hay pornografía que uno no mira para hacerse la paja, la mira más como por una curiosidad de hasta dónde puede llegar la especie humana.

—...

—Mirá esto, por ejemplo. Es una de las mías, de las que digitalicé.

Minimizó las otras ventanas y abrió un reproductor de video a pantalla completa.

—Lo pasamos más rápido para que no te emboles.

La película abría con una placa austera que rezaba «Granny Anal Adventures – #14: Ilsa» y empezaba saliendo de negro para mostrar una habitación con un sofá y la alfombra cubiertos con una protección de nylon. En el centro de la habitación había una piletita de lona. Después entraban en cuadro unos ocho o nueve tipos con una mujer vieja, llena de colgajos y con el pelo blanco. Todos desnudos, a la mujer la tenían sujeta con una correa y un collar en el cuello. Primero la hacían arrodillar en la pileta y la orinaban copiosamente. La iluminación era mortecina, como los videos viejos de casamiento, y contrastaba oscuramente con la comicidad de los movimientos rápidos. La mujer fue primero golpeada y luego violada analmente de una manera brutal. Después todos se masturbaron y eyacularon en su cara, ella arrodillada en la piletita y con la boca abierta. Primeros planos de la boca de la mujer, abundante en fosas y prótesis.

—Esto es demasiado, es un asco –dijo Cetarti.

—No, no es nada esto. Ahora viene lo que te digo.

Duarte puso la película en velocidad normal. Los tipos le gritaron algo a la vieja y la mujer se puso a gatas. Empezaron a masajearle el culo con aceite y de a poco le iban metiendo dedos. Uno le metió el puño entero.

—Es cada vez peor. Pobre mujer.

—Ahá –dijo Duarte–. Y todavía falta un poquito.

El tipo que tenía el puño adentro del culo de la vieja lo sacó y lo mostró triunfante a cámara. El culo estaba abierto ya sin la menor gracia, un enorme hueco de carne con vista al interior de la última parte del tracto digestivo. Otros de los tipos mantenían abierto el hueco separándolo con los dedos, y escupían adentro.

—Basta, por favor. Saque eso. Se le ven las tripas a esa mujer.

—La elasticidad del organismo humano es algo tremendo, tremendo.

Duarte sonreía pícara y amarillentamente. Tenía los ojos rojísimos y a Cetarti le entró un poco de miedo.

—Ya termina, falta lo último.

—No no, basta. Basta.

—Son dos minutos que quedan.

El tipo del puño volvió a entrar en cuadro, con un bate de béisbol que con la ayuda de sus compañeros insertó unos quince centímetros en el culo de la mujer. La mujer quedó en cuatro patas y con el bate ensartado. Los tipos se le pusieron alrededor y aplaudie-

44

ron. La cámara se fue retirando y, después, fundido a
negro. Duarte apretó «stop».

—Y, qué tal.

—Me parece terrible.

—Ha, ha, eso habla bien de vos.

—Bueno, me alegro.

—Esto es lo que te digo que por ahí es interesante,
como ver hasta qué cosa es capaz de hacer o dejarse
hacer una persona. Esta vieja yo me la imagino vis-
tiéndose con el culo todo roto, tomando el subte,
comprándoles chocolates a los nietos con la plata que
acaba de ganar dejándose hacer esto...

—Por ahí no tiene nietos. Por ahí es una vieja que
vive en la calle y le dieron dos monedas para que hi-
ciera esto.

—Bueno, sigue siendo interesante. Me imagino
entonces a la vieja bañándose después de todo eso,
pensando más bien en qué suerte tuvo de poder estar
en ese departamento y conseguir un poco de agua caliente. Comiendo después en esos comedores de cari-
dad para mendigos, comentando andá a saber qué
cosa con los otros viejos, hablando de cualquier pavada mientras piensa en lo que le estuvieron haciendo...

A las dos y media Cetarti ya estaba al volante del
auto, con las cenizas de su madre y su hermano en
baúl, en sendas cajas de madera contrachapada. Recorrió morosamente las calles embarradas del pueblo,
sin buscar nada específico pero sin decidirse a salir a
la ruta. Sentía su cabeza varias veces más grande de lo
normal y tenía mucho calor. Le costó parar a cargar

45

nafta. El viaje que tenía por delante no le parecía tanto porque implicaba una posición relativamente estática, con movimientos muy acotados para apretar pedales, mover el volante, a lo sumo cambiar el dial de la radio. Pero bajarse del auto, hablar, hacerse entender, pagar, etcétera, le parecía una tarea irrealizable que se descomponía en una serie casi infinita de tensiones musculares, pequeñas decisiones posicionales, operaciones mentales de selección de palabras y análisis de respuestas que lo agotaba de antemano. Paró en una estación de servicio sobre la ruta, a la salida del pueblo. Tuvo que esperar un par de minutos mientras el playero se acercaba desde una gomería, cruzando la ruta. Usaba botas de goma. Cetarti pensó con repulsión en el olor a pies que debía macerar en esas botas. Mientras se llenaba el tanque, le llamó la atención una piedra que se movía sobre el fino colchón de barro, a unos diez metros. Caminó hasta ella: no era una piedra, era un escarabajo pardo del tamaño de una mandarina grande, con un cuerno parecido al de un rinoceronte en miniatura. En el extraño día y medio que le había tocado pasar en ese lugar, era la primera cosa que le parecía dotada de realidad. Estiró la mano para levantarlo y verlo más de cerca.

—Es venenoso, señor, no lo toque —dijo el playero, y aplastó al insecto de un pisotón. Se limpió los restos de la suela arrastrando el pie contra el piso.

—No hay escarabajos venenosos —protestó Cetarti.

—Pregúntele al hombre de la gomería. Lo mordió uno más chico que éste y le tuvieron que amputar dos dedos, se le pusieron negros en cuestión de horas. Para cuando fue al hospital ya no había nada que hacer. Y sabe lo que son dos dedos para un gomero...

—Me imagino. Primera vez que escucho.

—Uh, son una plaga ahora estos cascarudos, están por todos lados, no sé de dónde salen. Menos mal que son tan grandes, son fáciles de ver y se mueven lento.

—Capaz que bajan del norte.

—Capaz que son brasileros.

Pagó y subió al auto. Prendió la radio. Subió el auto a la ruta y durante cuarenta minutos se estuvo informando sobre el precio de cereales y oleaginosas, créditos de emergencia para el agro y problemas veterinarios. Después cambió a Radio Nacional, que pasaba música clásica. Se empezó a sentir mejor. Los músculos se relajaron un poco y la cara le dejó de arder. A medida que se ponía oscura la tarde, el paisaje visual se iba reduciendo al doble cono alumbrado por los faros del auto, es decir la continua sucesión de rayas blancas, y cada tanto algún animal silvestre que cruzaba la ruta. La música suave era acompañada por la letanía arrítmica de las pequeñas explosiones de los insectos contra el parabrisas. Cetarti analizó esas décimas de segundo que transcurrían entre que el insecto entraba en el cono de luz y reventaba contra el vidrio. Notó que la trayectoria de aproximación de los insectos quedaba marcada en el aire, una curva irregular de luz difusa.

Llegó a su casa alrededor de las dos de la mañana. El único cambio que notó tras una elemental revisión, fue que los carassius anaranjados flotaban panza arriba en la pecera.

7

A la tarde Danielito se encontró con su madre en la casa de su padre, para ayudarla a sacar los muebles al patio. Sacaron el sofá y las cortinas del living, que estaban llenas de sangre y pelos. Danielito pensó que eso era todo, pero su madre le hizo sacar el juego de comedor y los dos aparadores. En el patio primero mojó bien el sofá y las cortinas con kerosén y le pidió a Danielito que la ayudara a acomodar los aparadores encima. Danielito le dijo que si iba a quemar todo era mejor los aparadores abajo, el sofá al medio y arriba la mesa, así el sofá tenía leña de arriba y de abajo. Armaron la estructura básica de la pira de esa manera. La madre roció todo con abundante kerosén y le prendió fuego con una mecha de papel de diario. Las llamas tomaron rápidamente los muebles.

—Traete las cosas del dormitorio —dijo su madre, iluminada por la hoguera.

—Qué cosas.

—La cama, las mesitas de luz, la ropa, todo. Yo cuido que el fuego no baje.

Terminó de vaciar el bidón de kerosén sobre el fuego y fue a buscar otro, Danielito vio que al lado del muro todavía había tres más.

—Yo me quería quedar con el sobretodo gris.

La madre negó con la cabeza.

—Vamos a quemar todo.

Danielito fue hasta el dormitorio. Agarró primero la mesita de luz de la que se veían asomar los zapatos de su padre. Revisó el cajón. Estaba la pistola y la caja de munición. Chequeó el cargador, estaba completo. No había bala en la recámara. Se guardó la pistola atrás del cinto y dejó la caja de munición en el piso. Revolvió unos papeles y encontró el brevet de aviador civil y también lo guardó en un bolsillo. Vio un paquete de preservativos y se le dio vuelta el estómago. Cerró el cajón y llevó la mesita al patio. Hizo lo propio con la mesita de luz de la última mujer de su padre, pero sin revisar. La cama la desarmó, era fácil porque estaba armada con <u>encastres</u>. Mientras iba y venía, su madre permanecía al lado del fuego, mirando fijamente las llamas.

—El dormitorio ya está.

—Traete la mesita y las sillas de la cocina, también.

Eso completaba todo el mobiliario de la casa.

—¿La heladera y el televisor también los traigo?

—No, los voy a vender con la casa, para sacarle un poco más de plata.

Empezó a caer la noche y todavía seguían quemando muebles. A las ocho y media le llegó un mensaje de texto del teléfono de Duarte:

TE ESPERO T CASA A QUE HORA LLEGAS

Danielito respondió que calculaba que once once y media. Duarte contestó:

OK HAY QUE MOVER LAS MANOS YO ESTOY YENDO

Danielito llegó a su casa a las diez menos cuarto. La televisión estaba prendida en Animal Planet, un programa sobre inteligencia en cefalópodos que él ya había visto (leyó en los subtítulos: «un pulpo puede aprender a recorrer un laberinto de una manera sorprendentemente rápida») y el volumen estaba muy alto, pero no había nadie mirando. Fue hasta la puerta del sótano, que estaba abierta. Bajó un par de escalones hasta la piecita sin hacer ruido, y desde ahí pudo ver a Duarte, que estaba sacándole fotos al chico. Le había desatado las manos para ponerle unas esposas, y le había dejado las piernas libres para que pudiera abrirlas. Danielito cerró la puerta del sótano y fue a bañarse. Le ardía la cara de estar frente al fuego. Se cambió de ropa, se puso bermuda, ojotas y una camisa floja. Preparó tereré y se sentó frente al televisor. Bajó el volumen hasta hacerlo soportable y puso un programa de caza y pesca. A los cinco minutos apareció Duarte, le dijo que llegaba temprano.

—Terminamos antes.

—Y qué tal la velada familiar.

50

Danielito le dijo que bien. Duarte fue hasta la cocina y trajo una bolsa de nylon con fajos de dinero. Sacó seis fajos gordos de billetes de cincuenta pesos y ocho de cien y los puso en el sofá, al lado de Danielito. Danielito sacó cinco billetes de cincuenta y se los guardó en el bolsillo de la camisa, después llevó el resto de la plata a su dormitorio.

—Yo lo preparo al pibe y salimos en un rato —dijo Duarte.

Duarte se volvió a asomar veinte minutos más tarde y le avisó que ya estaba. Primero trajeron la silla de ruedas y la desplegaron al lado de la puerta del sótano. Después bajaron a buscar al chico. Duarte lo había limpiado con las toallas y lo había vestido. Al estar empastillado, el chico no se resistía pero era a la vez un peso muerto muy difícil de manejar y renegaron bastante para llevarlo arriba. Duarte lo ató con cinta de embalar a la silla, para mantenerlo estable: ató cada extremidad por separado, y aseguró también el tórax para que permaneciera derecho. Empujaron la silla hasta el garaje y la subieron a la combi acondicionada como ambulancia. Una vez arriba, calzaron la silla con tacos de madera.

—Parece increíble que los padres paguen para volver a tener esto en su casa —dijo Duarte—. Es biológicamente inexplicable. En Esparta, a los pibes como éste los tiraban a un precipicio apenas nacían. Y era mejor. No sufrían. ¿Fumaste vos ahora?

—No.

—Entonces te voy a pedir que manejes vos, yo estoy un poco cansado, manejé un montón hoy.

Danielito le dijo que estaba bien.

—¿Documentos, carnet, papeles?

—Está todo en la guantera.

Bajaron y cerraron las puertas de la cúpula trasera.

—Vos abrí el portón y yo salgo manejando, doy una vuelta manzana por si las putas mientras vos cerrás, y te paso a buscar en dos minutos. Después paramos y cambiamos.

Dieron vueltas alejándose cada vez más hacia el norte, hasta que subieron a la ruta. Hicieron varios kilómetros y se salieron en un camino solitario que llevaba a una doble fila de eucaliptos paralela a la banquina. Rápidamente armaron la silla y ataron al chico a ella. Duarte lo cacheteó un poco para despertarlo pero no hubo reacción.

—Todavía le queda un rato, a éste.

A mitad de camino llamó por teléfono a los padres del chico, indicando las señas del lugar donde lo habían dejado.

—Está dormido todavía, lo medicamos para que no se estrese. Al costado de la silla hay un bolso con las cosas que me sobraron, pañales y esas cosas. Un aerosol con cámara de aire también, casi lleno está.

Escuchó mientras le contestaban algo.

—De nada, le dije que nos íbamos a portar bien. Ustedes se portan bien, nosotros nos portamos bien.

De regreso, recorrieron la ciudad haciendo circuitos en 8 transversales, primero para un lado y después para el otro. Lo hacían atentos y sin impaciencia, es-

cuchando chamamé en la radio, con las ventanillas
bajas. La noche estaba apenas fresca y sin viento. Cada
tanto Duarte reconocía un tema y lo coreaba despaci-
to, golpeteaba en el techo con los dedos, siguiendo el
ritmo.

8

Cetarti ocupó gran parte de la mañana caminando en círculos por la casa, como un autito chocador conectado a baja tensión, fumando y deteniéndose cada tanto ante la pecera. Observaba la sutil respuesta de los peces muertos al movimiento que generaban las burbujas del aireador en la superficie del agua. Buscó en la cajita de los remedios y tomó dos aspirinas porque le dolía un poco la cabeza. Prendió la televisión. En Córdoba, la noticia del día era que un circo había donado una elefanta al zoológico. La «donación» era un eufemismo, en realidad el animal estaba desnutrido, maltratado y en muy mal estado de salud y los del circo lo dejaban para ahorrarse los disgustos de tratar con un moribundo de ese tamaño. De las imágenes le llamó la atención que la elefanta no paraba de mover los pies, explicaban que ése era uno de los gravísimos problemas que tenía: le habían «enseñado a bailar» poniéndola sobre una chapa y dándole electricidad. Le había quedado el reflejo condicionado y no paraba de mover las patas. Ninguna de las otras cosas que había para ver le interesaron, y al cabo de un rato se quedó dormido en el sofá. Soñó que su madre, desnuda y con el agujero de la perdigonada en pleno esternón, le alcanzaba el bolso amarillo de su hermano. Cetarti lo abría y sacaba un escarabajo enorme, como el que había visto en la estación de servicio de Lapachito pero mucho más grande, casi como una pelota de fútbol. Y si bien el cuerpo era idéntico, el animal no tenía patas, sino unos tentáculos que se adherían trémulamente a sus brazos. Sabía que el escarabajo estaba lleno de veneno, pero en el sueño Cetarti pensaba «está lleno de tristeza y no me va a morder». Después volvía a meter las manos en el bolso y sacaba ropa vieja y sucia, hasta que llegaba al fondo, donde estaban las zapatillas de su hermano y la foto de ellos dos tomados de la mano. Cetarti se ponía las zapatillas y miraba la foto, él y su hermano con esa expresión grave en la cara. No parecía una foto, que es el registro congelado de algo que puede estar moviéndose. Era más como la filmación de algo que está quieto, tan quieto que parece una foto, hasta que algo en el cuadro cambia de posición: la hoja de una planta movida por la brisa, una mosca que se cruza frente a la cámara.

9

Cetarti fue a la panadería y compró tres facturas y un litro de leche chocolatada. En el camino también compró el diario para ver en los clasificados la plata que podía llegar a sacar vendiendo su auto. Mientras desayunaba, empezó a leer el diario desde atrás: los chistes, el horóscopo («Su talento para las relaciones públicas es puesto a prueba por personas de temperamento muy agresivo. No pierda la calma ni el sentido del humor»), los policiales y al llegar a la sección «El Mundo» le llamó la atención la palabra «tentáculos» debajo de una foto borrosa.

Cuando terminó las facturas buscó el modelo de su auto en los clasificados. Por lo que vio y luego de sacar unas cuentas elementales en el margen de la página, calculaba que con el valor de mercado del auto podía tirar cuatro meses, cinco si se apretaba un poco. Pensó que iban a venir días de recibir gente en su casa y mantener conversaciones y regateos con tipos que iban a hurgar el vehículo a la búsqueda de vicios ocul-

PRIMERAS IMÁGENES DE MONSTRUO MARINO GIGANTE CON VIDA

Tentáculos. El animal forcejeó durante horas y dejó uno adherido al anzuelo.

Tokyo (Agencia). Un equipo de biólogos y científicos japoneses ha logrado captar las primeras imágenes de un calamar gigante nadando libremente en aguas del mar de Japón. El ejemplar, que completo se estima mediría alrededor de los ocho metros, fue visto a novecientos metros de profundidad, y parece ser mucho más agresivo de lo que se especulaba. El calamar gigante es uno de los animales más enigmáticos de planeta, y desde luego uno de los más buscados. Los ejemplares encontrados hasta ahora corresponden a animales muertos, y nunca hasta ahora se habían tomado imágenes en su hábitat natural. Para localizar a los calamares gi-gantes, el equipo de científicos japoneses se desplazó hasta el Pacífico Norte, de gran población de cachalotes, únicos depredadores naturales de estos invertebrados. Allí plantaron veinte boyas de las cuales colgaban cámaras fotográficas a mil metros de profundidad. A cada cámara había adosado un anzuelo cebado. La cámara estaba siempre en posición vertical, tomando instantáneas cada cuatro segundos durante turnos de cuatro horas. Finalmente, un calamar gigante atacó una de las cámaras. Tras una primera embestida en la que enganchó un tentáculo al anzuelo, desapareció de cuadro durante alrededor de veinte minutos. Durante los siguientes 80 minutos, el animal se debatió tratando de escapar, llegando incluso a soltar chorros de tinta que dificultaban la visión. El primer ataque fue de tal fuerza que la cámara fue arrastrada seiscientos metros hacia lo profundo, aunque luego regresaron a los mil metros iniciales.

Tras unas horas de lucha con el señuelo, uno de los tentáculos se rompió y quedó adherido al anzuelo, mientras que el animal logró escapar. El tentáculo, de cinco metros y medio de largo, fue recuperado por los científicos una vez que la cámara llegó a la superficie, y se pudo comprobar que tenía sus ventosas aún activas, que trataban de atrapar los dedos de los científicos cuando lo tocaban.

---

tos. Esa idea era como un yunque que le colgaba del cuello. Buscó en todos los lugares de su casa donde podía tener dinero, y juntó novecientos cuarenta pesos y monedas. Tenía que vender el auto antes de que se terminara eso. Pensó que más a la tarde, si salía a caminar, podía ir a la zona de las concesionarias de autos y sondear ahí, para venderlo más rápido y sin tanta charla, aunque fuera por un poco menos de dinero. Prendió el televisor y el primer porro de la mañana y estuvo mirando Animal Planet, un pulpo que sorteaba obstáculos dentro de una pecera en un laboratorio, y aprendía a recorrer laberintos para obtener un cangrejo vivo como recompensa. Para comer su premio, el pulpo envolvía al cangrejo en su manto con un movimiento súbito, pero los obstáculos y las aberturas para pasar de un lado a otro los tanteaba con movi-

57

mientos vacilantes, cuidadosos. Necesitó un plano detalle de un tentáculo enroscándose alrededor de un cilindro transparente para acordarse del sueño de la noche anterior. Fue hasta el auto y sacó el bolso amarillo. Sacó las cosas de su madre y revisó las de su hermano, el contenido era bastante menos espectacular que el del sueño: un jean, una camisa de mangas cortas y un pulóver. Unas zapatillas de segunda marca. Un juego de llaves. Una billetera con ciento treinta pesos y su cédula de la policía federal. Buscó la dirección: Brigadier Lacabanne 2532, Barrio Hugo Wast, Córdoba. Nunca había ido, pero sabía que Hugo Wast quedaba cerca del matadero municipal, en el otro lado de la ciudad.

Pero en la misma ciudad.

10

—Menos mal que viniste. Los perros agarraron un gato.

Danielito miró por la ventana. Sobre el césped había un bulto de pelo color dorado. El bulto era más grande de lo esperable para un gato.

—Era gordísimo, parece.

—Está hinchado. Lo agarraron ayer a la mañana y cada vez que me acerco para embolsarlo los perros me encaran para morderme. Pensé en sacarlo mientras dormían, pero se tiraron al lado del gato y no me dejaron acercarme. Fijate vos si podés hacerlo, que te tienen un poco más de miedo.

Le dio una bolsa de nylon. Danielito salió al patio y los perros, dos dogos macho y hembra de más de treinta kilos de peso, se le acercaron mirando de costado, con la cabeza gacha y escondiendo el rabo. Los acarició atrás de las orejas y los perros le lamieron la mano. Se acercó al gato, lo siguieron de atrás. Cuando envolvió su mano en la bolsa para agarrar el cuerpo, los perros le gruñeron. Se enderezó y los perros recobraron su postura sumisa. Los miró a los ojos y volvió a inclinarse hacia el gato. Agachados y rehuyéndole la mirada, los perros volvieron a gruñir y le mostraron los dientes. Volvió hacia la casa, los dogos a su lado cabeceándole las manos para que los acariciara. Les ofreció comida y los hizo entrar. Los llevó hasta el garaje y los encerró ahí. Salió al patio, embolsó el gato, subió al techo y desde allí tiró la bolsa a la vereda. Sacó los perros nuevamente al patio, salió a la vereda, agarró la bolsa y la llevó hasta un descampado.

—Listo, ya está —le dijo a su madre cuando volvió.

—Gracias, estuviste bien, se me tendría que haber ocurrido a mí eso.

—Qué cosa.

—Meter a los perros en el garaje y sacar la bolsa por el techo. Era obvio. Lo que pasa es que cuando están así, malos, me asustan un poco.

—Son animales, se mueven por estímulos. Si están haciendo una cosa y querés que hagan otra, les ofrecés un estímulo más fuerte.

—A veces creo que saben lo que estoy pensando, me olvido que son animales.

—Y para qué los tenés si te dan miedo.

—Para que me cuiden. Te voy a dar creolina para que te laves las manos. Mientras, yo caliento la comida.

A Danielito le molestaba comer en la casa de su madre. Mientras comía, ella casi no hablaba, y no lo dejaba prender el televisor. El almuerzo (tortilla de papas con ensalada) transcurrió en un silencio intervenido sólo por el sonido de los molares de su madre tri-

60

turando las partes crujientes de las verduras de la ensalada. De postre había ciruelas. Estaban blandas y Danielito no quiso.

—Hay que ir a Gancedo —dijo su madre en un momento.

—Para qué.

—Tengo que hacer algo. Necesito que me lleves.

Danielito movió con el cuchillo unas tiras de cebolla, trató de ponerlas lo más rectas posible.

—Y cuándo hay que ir.

—Si puede ser esta semana mejor.

—Bueno, hablo con Duarte y veo si puedo.

—Y qué le tenés que pedir permiso a Duarte.

—No es que le pido permiso. Teníamos que hacer unas cosas, también.

—Qué cosas.

—...

Su madre empezó a levantar los platos.

—Está bien. Cuando Duarte quiera, me llevás entonces. Pero hay que ir esta semana.

11

Duarte estaba alumbrado por la lámpara de mesa que iluminaba el plano y los subconjuntos armados del B-36. Conversaba con Danielito, pero su atención visual estaba fija en una de las delicadas góndolas de los motores a reacción, que armaba mirando a través de una lupa rectangular con montantes.

—¿Y cómo tocan la puerta?

—No sé. En la tele dijeron que tocaban a la puerta. Pero no explicaron cómo.

—Porque digo, yo creo que me daría cuenta de que lo que toca no es una mano humana. Tenés que ser muy estúpido para no darte cuenta. La trompa no es lo mismo que un nudillo. Aparte el tema de los tiempos. ¿Cómo hace semejante bestia para golpear tac tac tac rápido? Una trompa de elefante contra una puerta debe sonar como si golpearas fuerte con una bolsa de arena fina, ponele.

—O con una bolsa de carne.

—Claro. Con un peceto de noventa kilos.

—Capaz que golpean con los colmillos, por ahí tienen una técnica. Son inteligentes.

—Sí, lo mismo no me cierra. Bueno, en una de ésas estamos delirando y las casas de Bengala occidental tienen campanas. O timbres, directamente. Yo leí algo acerca de la locura de los elefantes, les pasa a los machos. Exceso de testosterona, pasa en la época de celo.

—Acá decían que era otra cosa. Una especie de estrés postraumático.

—Pero si en la India los elefantes son sagrados. Qué estrés postraumático pueden tener.

—Los de los templos, son sagrados. A otros los agarran de chicos y los hacen trabajar. O matan a las madres delante de la cría y se los llevan para venderlos.

—Está bueno, ¿y cuándo lo viste?

—La semana pasada. Lo deben estar repitiendo todavía.

—Ya me voy a fijar si lo engancho.

Duarte aflojó la presión de la mano y comprobó que las piezas se habían unido. Después desprendió del blíster otro par de piezas idénticas y empezó a distribuir pegamento por las superficies de contacto.

—Y vos cuándo te querés ir.

—Me dijo que tenía que ser esta semana.

—Y volvés cuándo.

—Yo quiero volver en el día. Salgo temprano y estamos de vuelta a la tardecita.

—Sí, dale, no hay problema, por lo que estuve viendo no vamos a hacer nada esta semana, y capaz que la otra tampoco. ¿Y a qué van a Gancedo?

—No me dijo nada. Me dijo que tenía que hacer algo, pero nada más.

—Estuve en la casa de tu viejo. La vació, no queda nada.

—Sé, en dos días limpió todo.

—Y qué hizo con las cosas.

—A mí me hizo cargar todos los muebles y los quemó en el patio. El resto de las cosas no sé. Las habrá sacado a la basura.

—Tiene una energía bárbara tu mamá, eh. Para la destrucción.

12

Cetarti bajó a barrio Hugo Wast a pie y preguntando, porque nunca había ido. Evitó el centro bordeando el río por la costanera aunque era una vuelta grande. Tardó poco más de tres horas en llegar, era pasado el mediodía y el sol pegaba fuerte, no tan fuerte como en Lapachito pero fuerte. Hugo Wast era un típico plan de viviendas del gobierno de la provincia, por el diseño Cetarti supuso que tendría unos treinta o treinta y cinco años de antigüedad. Las viviendas, de evidente mala factura, no habían resistido nada bien el paso del tiempo. Cada tanto, el viento traía olor a carne podrida del matadero. A la altura del 2500, Brigadier Lacabanne era una calle especialmente fea, con las veredas llenas de baldosas saltadas y soretes de perro y viejos sentados en las puertas de casas derruidas. La casa de su hermano tenía un jardincito de entrada con pastos altos y plantas secas, lleno de papeles y mugre. Investigó qué llave se correspondía con el dibujo de la cerradura e introdujo la que le parecía más probable. La llave giró una vuelta y se trabó, pero después de forcejear unos segundos logró abrir. Adentro estaba muy oscuro y había una particular mezcla de olores que incluía encierro, papel mojado y kerosén, mas otros que por el momento no alcanzaba a reconocer. Cerró la puerta y prendió la luz, que resultó ser una bombita de veinticinco, como máximo cuarenta watts. La luz amarillenta tardó en abrirse paso por la habitación, revelando una acumulación de pilas de material diverso que ocupaban la mayor parte del espacio, llegando casi hasta el techo en algunos lugares. En la acumulación había cierto orden, con estanterías improvisadas donde se acomodaban bolsas y cosas sueltas, y el resto en cajas apiladas. Abrió cautelosamente una bolsa de nylon negro, como si algún animal pudiera salir de ella y morderle la mano: estaba llena de tramos de cables viejos, separados en madejas por tipo: cables de plancha rígidos y flexibles, espiralados de teléfono, trifásicos, bipolares y otros que no sabía. Una de las cajas estaba llena de guías telefónicas de la provincia de Formosa, edición 1981/82. Otras dos habitaciones estaban igualmente ocupadas casi por completo. Las cajas se apilaban contra las paredes, tapando las ventanas, y en el medio iban dos estanterías (tres en la habitación más grande), dejando lugar sólo para pasillos estrechos que garantizaban el acceso a todo aquello. No había basura orgánica o pasible de descomposición. En el baño, al lado del bidet y contra la pared, había apiladas cientos de revistas *Selecciones del Reader's Digest* muy viejas pero en buen estado. Hojeó una de 1962: peligros del comunismo en el sudeste asiático, el drama de la vida real de un hombre tratando de salir de un bosque con la aorta seccionada por la cadena de su propia motosierra, el eterno encanto de Nápoles. Notó que todos los cupones de los avisos publicitarios habían sido llenados. Cambiaban los nombres y las direcciones, pero todos habían sido llenados con la misma letra dificultosa e infantil. La cocina era evidentemente el lugar donde realmente vivía su hermano. Y, por lo que se veía, vivía con lo mínimo: había un colchón, un roperito, un calentador a kerosén, una heladera y una estufa eléctrica. Al lado del colchón había otras dos pilitas de revistas *Selecciones* y un par de mocasines aplastados en la zona del talón. Sobre la mesada había una ollita, una taza y dos cucharas, todo limpio. Y también una pecera de veinte litros con agua bastante turbia y un pez en el fondo. Primero creyó que el pez estaba muerto, pero mientras lo examinaba lo vio hacer un movimiento. Era un pez extraño, con pequeñas patas y unas branquias arborescentes que salían de la parte de atrás de la cabeza. Sintió lástima por el animal, debía tener hambre (¿hacía cuánto había salido su hermano?, ¿cuatro días?, ¿seis?) y la pecera no tenía aireador, así que el agua debía estar muy pobre en oxígeno. Con la ollita cambió un poco el agua, para que fuera un poco más respirable. No había ningún frasco de alimento cerca. ¿Qué comería? El único adorno en las paredes era un cuadrito, una impresión amarillenta que mostraba un dibujo detallado y realista de un elefante. Abajo del dibujo decía «Fig. 51 – Elefante Indio *(Elephas maximus)*». Una puerta angosta comunicaba la cocina con el patio. Salió afuera. En el patio no había mucho: ocupando una quinta parte del espacio, había una montaña de escombros, maderas tablones, varillas oxidadas de acero para la construcción. Lo demás era una pequeña selva de pasto crecido. Al lado de la puerta había apoyada una bicicleta de reparto en condiciones de uso (las gomas infladas), con un canasto grande entre el manubrio y la rueda de adelante. Otra puerta pequeña daba a un garaje también lleno de cosas. Al lado de esa puerta, sobre los mosaicos de la galería, había una parva de cáscaras de mandarina que podría llenar la mitad, o un poco menos de tres cuartos, de una bolsa de basura tamaño consorcio. Volvió a entrar e investigó el roperito. Había una campera impermeable, un sobretodo un poco raído pero en bastante buen estado, una percha con cuatro camisas. En un estante había dos pantalones y un par de pulóveres. Revisó la cajonera: uno de los cajones tenía tres calzoncillos y cuatro pares de medias hechas un bollo. No había otros objetos personales. Otros dos cajones estaban vacíos y en el último había una variopinta colección de cadáveres de insectos resecos. Colección porque eran muchos como para haber ido a parar ahí por casualidad y porque luego de un breve análisis advirtió que no había muchos especímenes repetidos. Por lo demás, los cuerpos estaban sueltos. Todos tenían los miembros plegados hacia adentro, es decir que habían sido recogidos muertos. En su mayoría eran bastante comunes: había bichos bolita y milpiés enrollados sobre sí mismos, arañas de diverso tamaño (un par de ellas relativamente grandes, pero la mayoría pequeñas), cucarachas, escarabajos, juanitas, chicharras, grillos y langostas. Había como elementos destacables tres ejemplares grandes: una cucaracha de agua, un mamboretá de más de diez centímetros de largo y un escarabajo parecido al que había visto en la estación de servicio de Lapachito, sólo que un poco más chico. Se acordó del gomero con dos dedos amputados. Dio otro par de vueltas por la casa y después salió a la calle, caminó hasta la primera avenida grande, consiguió un taxi y volvió para llevarse la pecera.

A la tarde sacó el auto y recorrió la zona de concesionarias de usados, buscando el mejor precio de venta. En una le ofrecieron once mil quinientos pesos al contado. Para esa altura estaba harto y dejó el auto ahí. Cobró cuatro mil en efectivo y quedó en cobrar el resto al otro día a la mañana, cuando se verificaran los papeles del auto y se firmaran los papeles de la transferencia. Ya a pie, pasó por el centro y en un acuario averiguó por el pez de la pecera de su hermano. No era técnicamente un pez, era una especie mexicana de salamandra llamada ajolote, y no era nada rara, se vendía en cualquier acuario más o menos surtido. Le dijeron que en general se le daban de comer tiras de carne o lombrices, dejándolas caer frente al animal para que éste las viera, porque ven muy poco. La otra era comprarle alimento para tortugas acuáticas y darle eso, porque la carne y las lombrices se pudrían y ensuciaban el agua. Había que darle de comer cada tres o cuatro días, y el animal podía soportar ayunos de una semana o más. Cetarti adivinó que el ajolote de su hermano estaba acostumbrado a las lombrices. Compró dos tarros de alimento para tortuga. Mientras pagaba se dio cuenta de que nunca había sacado las cenizas de su madre y su hermano del baúl del auto.

13

La entrada del cementerio de Gancedo era un famélico arco de cemento, coronado con una cruz de varillas de hierro del ocho. Había un cartel pintado con caligrafía mayúscula pero infantil que decía: «TERMINANTEMENTE PROHIBIDO INUMAR, REMOVER O EXUMAR RESTOS HUMANOS SIN AUTORIZACION MUNICIPAL. CASO CONTRARIO SE APLICARA SANCION SEGUN LA ORDENANZA IMPOSITIVA MUNICIPAL. GRACIA». Incómodo, Danielito raspó el suelo con la pala. Miró a su madre, que estaba con las manos metidas en el portón de rejas de hierro, tratando de quitar el pasador. Ella pareció adivinarle el pensamiento.

—Es lunes, no va a venir nadie. Y menos a esta hora.

Forcejeó un rato, pero se dio por vencida.

—Está muy trabado. No te digo, andá a saber desde cuándo no viene nadie. Vas a tener que saltar y abrir vos desde el otro lado.

Danielito apoyó la pala en el murito y saltó sin mucho esfuerzo.

Eran las cuatro de la tarde. El silencio era casi completo, no soplaba la más leve brisa. Únicamente un sutil entramado de ruidos: los terrones de tierra reseca rompiéndose bajo los zapatos, los ratones o lagartijas escondiéndose a medida que ellos se acercaban. A mitad del pasillo principal había una estatua que representaba a Cristo en ademán de alegre bienvenida. La estatua era fea, desproporcionada (la piernas cortas, un torso casi de boxeador, brazos largos, las manos grandes, un poncho gaucho al hombro) y emanaba cierta desolación, como esos personajes de Disney mal dibujados de las calesitas de barrio. Con la pala en la mano siguió a su madre hasta la parte más alejada del cementerio. Después de equivocarse un par de veces, la mujer se detuvo frente a una pequeña tumba hundida y sin flores, señalada tan sólo por una cruz de madera muy castigada por los años y la intemperie. En el centro de la cruz había una chapa en forma estilizada de corazón, de color negro y con una borrosa pero legible inscripción en blanco. Dejó la bolsa sobre el piso, a un costado.

—Acá es. Pasame la pala.

—Cómo vas a ponerte a cavar vos, te va a hacer mal.

No pudo evitar un escalofrío cuando leyó, pintado en el corazón de lata: «Daniel Molina 2-12-1972/10-4-1973». Miró a su madre. Ella miraba el suelo hundido.

—Pobrecito, todos estos años bajo este sol tremendo. Cavó con aprensión. La tierra era blanda pero no tenía ningún impulso de apurar los movimientos. Estaba empapado de sudor. Alrededor del cementerio había una isla de descampado y cien metros después el monte cerrado. Recordó el documental sobre los elefantes de Mal Bazaar. Se imaginó uno de esos elefantes saliendo de la selva. Imaginó que los encaraba. Un cuerpo complejo y poderoso que hacía vibrar la tierra en cada paso. Pero el elefante no los atacaría, pensó. Se acercaría a ellos con calma y cierta curiosidad. Se quedaría al lado de ellos tocándolos suavemente con la trompa. Y después caería al piso. O se desvanecería en el aire. O cualquier otra cosa. Pero no les haría daño. «Casi todos los mahuts son alcohólicos», recordó. Qué bueno ser alcohólico, pensó, qué bueno ser asesinado por un elefante. Cualquier otra cosa.

14

—Bien. Muy bien...

Duarte puso una cara que era mezcla de asombro y aprobación irónica. Había escuchado el relato de Danielito mientras pintaba de negro mate los neumáticos de los trenes de aterrizaje. Danielito lo miraba hacer, interesado en la precisión con que las enormes zarpas de Duarte manejaban las pequeñas piezas de plástico.

—Mirá que es rara tu vieja, eh. Te hace ir a Gancedo para robar una tumba y te pide que atravieses la mitad de la provincia con un muerto en el auto.

—Bueno, no es un muerto, es el hijo..., aparte es un cajoncito chico, con huesos. No tiene olor ni nada.

—Es un muerto, pibe. Yo vos sabés que cuando naciste y tu viejo me contó que tu vieja te había bautizado con el mismo nombre, yo dije esta mina está loca, está mal del balero...

—¿Usted sabía?

—Sí. Me contó tu viejo.

—Y qué dijo.

74

—Ehm, me contó nomás, mucho no opinó. Toda esa época con tu mamá se veían poco, más que nada se carteaban, esto era apenas nos reincorporamos, nos habían mandado a hacer un curso de supervivencia en Tucumán, ella ya estaba embarazada. Al chico tu viejo lo vio una sola vez, cuando tenía dos o tres meses de nacido. Después medio que evitó volver a verlo. Estábamos en el medio del monte, pero no así internados, viste, varias veces le dieron permiso a tu viejo para que fuera a verlo, y no fue. Supongo que no podía enfrentarlo.

—Qué cosa.

—Y, ver a tu, ehm, hermano. No es fácil ver que salen mal las cosas, supongo. La vez que volvió de verlo se pasó varios días borracho, esos días le cubrí varios turnos de vuelo porque era un peligro, me acuerdo bien. No digo que haya sido fácil para tu vieja, tampoco. Por algo hizo lo que hizo, no estuvo bien pero capaz que no le daba para otra cosa.

—¿Y cuando mi papá se enteró no dijo nada?

—No. No que yo sepa, tampoco era el consejero matrimonial de ellos como para saber todo. Para serte sincero creo que a esa altura le importaba poco.

Duarte tapó el tarrito de pintura negra y limpió el pincel con un algodoncito y solvente.

—De todas maneras me parece una crueldad de su parte haberte llevado. Si no te lo dijo antes para qué complicarte ahora.

—No podía ir sola, y no tenía nadie más a quien pedirle.

En un rincón de la mesa había un tomo de la *Enciclopedia Ilustrada de la Aviación* («*Perfiles, Caracterís-*

ticas, Perfomances»). Duarte lo abrió en el capítulo dedicado al B-36 y chequeó el color de los parantes de los trenes de aterrizaje con las fotos de la versión que estaba armando. Volvió a dejar el libro en su lugar, destapó la pintura plateada y se puso a pintar.

–Lo mismo, no sé. No está bien, me parece. Bueno, por ahí estoy hablando pelotudeces y a vos te importa tres carajos el tema, ¿no? Hace tres días que estás acá y no diste señales de vida, qué estuviste haciendo.

Danielito repasó mentalmente el cenagoso registro de los días anteriores: drogado todo el día, bañándose a cada rato, mirándose al espejo, comiendo exageradamente y vomitando. Orinándose en la cama.

–Nada. Dando vueltas por ahí –dijo.

Duarte le miró la cara ojerosa y macilenta.

–Sí, te veía más tostado –dijo–, mucho aire libre. Aflojale un poco a la vida saludable que te va a hacer mal. ¿Y qué va a hacer tu vieja? ¿Lo va a enterrar acá?

–No sé. No me dijo nada.

–¿Y vos no le preguntaste?

–No.

–Es muy capaz de guardarlo con las cenizas de tu viejo.

–Sí, es muy probable.

–¿No te inquieta ni un poquito que tu mamá meta un ataúd en su casa?

–Son cosas de ella. Yo no vivo ahí.

Duarte soltó una risita amarillenta.

–Ha ha, muy bien, así se habla. Pero vas muy seguido.

15

Durante las semanas que siguieron Cetarti durmió mucho. El tiempo que pasaba despierto estaba fumado y casi todo lo distribuía (junto con los escombros de su atención) entre el televisor y la pecera. El ajolote era ideal para ser observado en esas condiciones: casi siempre inmóvil, cada tanto nadaba perezosamente hacia arriba, a tomar aire o un bocado de la comida en escamas que flotaba en la superficie. Cetarti seguía comiendo poco y nada, pero confiaba en que el metabolismo bajo compensara la disminución en calorías. Solía tener pesadillas en las que, con algunas variaciones de sueño en sueño, lo mataban a escopetazos. A veces estaba su madre junto con él, a veces estaba solo. Pero siempre entraba la sombra de un tipo enorme (a veces el tipo no era completamente humano sino que tenía una especie de tentáculos que le salían de la cara) con una escopeta y le disparaba en el cráneo. Le volaban la cabeza pero él no moría instantáneamente, llegaba a vivir lo suficiente para ver sus astillas de hueso, y unas mucosidades sanguinolentas que se pegaban al tapizado de un sillón y a unas cortinas. Soñaba otras cosas también, pero no se las acordaba.

Un día le cortaron la luz. Se despertó temprano y reconoció la novedad en el silencio del motor de la heladera. Después recorrió la casa chequeando todas las llaves como si alguna guardara electricidad. Ese día se bañó (llevaba varios días sin bañarse) y salió afuera para desayunar en un bar de la avenida. Tras tanto tiempo comiendo mal y frío, el café con leche y las medialunas calientes fueron como una inyección de vida. Luego dio un par de vueltas, mirando las cosas y las personas de la calle como si fueran el paisaje de un planeta desconocido en el que acabara de aterrizar. El desayuno, el aire libre y el sol lo sacaron del aletargamiento. Volvió a su casa y probó el teléfono, todavía andaba. Llamó a Duarte y le preguntó si sabía algo de la plata del seguro. Duarte le dijo que no sabía nada, que iba a averiguar y le avisaba. Se paró frente a la pecera y tiró un poco de alimento sobre la superficie del agua. El ajolote no se movió. Cetarti pasó media hora sentado cara a cara con el animal, percibiendo los mínimos movimientos de las patas, o las branquias exteriores. Sonó el teléfono, atendió pensando que era Duarte por el seguro, pero eran de la inmobiliaria, para avisar que estaba dos días retrasado en el pago del alquiler. Pidió disculpas y explicó que recién llegaba de un viaje imprevisto, y que en una hora estaba allá para pagar. En el camino a la inmobiliaria pensó que no le convenía seguir pagando alquiler. Cuando llegó, avisó que ese que estaba pagando era el último mes que iba a pasar en el departamento.

16

Una multitud de pequeños caparazones se amontonaba en la playa, sacudiéndose como chapitas de gaseosa en un terremoto. *Durante tres noches en la primavera, los cangrejos herradura de las Molucas emergen de las profundidades donde viven y alcanzan las costas. En tres días de luna llena y marea alta, por cientos de miles llenan las arenas a lo largo de la costa atlántica de Norteamérica...*

La madre de Danielito cortaba tomates y pimientos en tiritas sobre una tabla, para agregarlos a la cebolla y la carne, que empezaban a dorarse en una cacerola.

Estos fósiles vivientes son parientes lejanos de las arañas y los escorpiones. Junto con los ciempiés, los arácnidos estuvieron entre los primeros organismos que salieron del mar. Los alacranes, ya presentes en el silúrico, son de los arácnidos más antiguos.

—En el freezer hay una lata de arvejas, por favor alcanzámela. Y si querés que sigamos hablando apagá ese televisor.

Danielito obedeció, apagó el televisor y sacó las arvejas del freezer. Se le pegaron las yemas de los dedos a la superficie de la lata.

—Esto está congelado.

—Ponela un rato abajo del agua de la canilla. Como para poder sacarlas de la lata nomás, después en la olla se terminan de descongelar.

Danielito giró la lata bajo el chorro de agua durante un par de minutos, después la abrió y metió el irregular cilindro verde dentro de la olla, junto con los pimientos y los tomates.

—Duarte dice que fue una crueldad de tu parte llevarme al cementerio de Sausalito. Que no era necesario.

—Y desde cuándo el hijo de puta del Chancho Duarte es alguien para hablar de crueldad. Te lo pedí porque eras lo único que tenía. Si hubiera tenido otra persona no te lo pedía.

—Dice que estabas enferma cuando me bautizaste. Que papá le contó cosas, que vos estabas mal.

—Tu padre mal pudo haberle contado algo porque no estuvo. Vio al chico una sola vez, ni al entierro vino. Su primer hijo. Y claro que yo estaba mal. Por supuesto que estaba mal. Y sola. Fueron unos meses horribles, había nacido delgadito, cabezón, ojeroso. Lloraba todo el día, había que ponerle muchas inyecciones, estaba siempre dolorido y malhumorado. Mi primer hijo. Otra persona hubiera sentido alivio con su muerte. Tu padre, por ejemplo. Pero para mí fue como si me arrancaran el hígado con las manos. Estuve sola, parada al sol mientras lo enterraban. No sé quién puede juzgarme. Y estuve sola cuando vos naciste, también. Tu padre me mandaba cartas desde Tucumán, contándome... boludeces, de su asma y los mosquitos.

—Y por qué me pusiste el mismo nombre.

Tocaron el timbre. Su madre se secó las manos en el delantal y fue a abrir. Escuchó el diálogo que se daba en la puerta de calle: eran testigos de Jehová o algo similar. Muy educadamente, le preguntaron si creía en Dios, si había leído las Escrituras. Su madre contestó cortante que sí. Le preguntaron si asistía regularmente a alguna iglesia.

—Mire, señorita, en esta casa somos católicos y somos muy felices así. Gracias —dijo, y cerró la puerta.

Danielito lamentó un poco que su madre no los dejara entrar. Le hubiera gustado que esa gente inocente entrara a la casa. Le hubiera gustado escucharlos hablar de la salvación, hojear esos folletos con dibujos de personas sonrientes comiendo frutas, niños acariciando leones, rayos de sol bajando de las nubes. Le pareció que hacía mil años que no comía fruta.

—Se empezó a pegar la cebolla, tenías que moverla un poco, no te costaba nada —le reprochó su madre. Echó un poco de agua con una pava y revolvió.

—Te lo pusimos juntos, es normal que al primer hijo se le ponga el nombre del padre.

—Pero yo no era el primer hijo. El primer hijo de ustedes estaba muerto.

—En la práctica eras el primero.

—Capaz que si me ponían otro nombre yo era distinto.

—Serías lo mismo, una persona es por lo que es y no por como se llama. No es ningún justificativo el nombre.

—Capaz que si él seguía vivo era como yo.

La madre echó arroz y agua a la olla.

—Danielito murió puro. Sin pecado.

Danielito tardó unos segundos en pegar su nombre al ataúd con huesitos, pero cuando lo hizo se estremeció.

—Los chicos muertos van al limbo, ¿no?

—No. Con todo lo que sufrió tu hermano, está en el cielo. Los niños ya nacen con pecado, pero él con todo lo que sufrió pagó su pecado.

—Y con qué pecado nace un chico.

—El de los padres. Yo me ensucié para tenerlos a ustedes. Tuve que fornicar para darles la vida.

Danielito pensó en sus padres «fornicando». Su madre debió estar, en esos momentos, tal vez un poco más tibia que la lata de arvejas que había sacado recién del congelador. Miró la canilla de la mesada, que no había cerrado. Veía caer el agua. Se la imaginó bajando primero por el sifón de la pileta y después hacia las alegres profundidades de la tierra.

17

—La verdad que no sé cómo es que les pueden meter algo tan hasta el fondo del culo y que no salga sucia. Esa pija tiene mínimo treinta centímetros. Por lo menos veintiocho.

—Capaz que se hacen enemas —dijo Danielito—. Con un enema queda todo limpio.

—Capaz... me da un poco de impresión. Pero está bien: si alguien se va a meter semejante cosa en el culo, no creo que le preocupe mucho hacerse un enema antes. Es casi un detalle menor.

Danielito miraba la cara de la actriz, que cerraba los ojos y chillaba. La cámara volvió al primer plano: el pene se retiró completamente, palpitó en la entrada y se volvió a meter con la rapidez y precisión de una rígida serpiente entrando en su madriguera.

—Hasta el fondo, eh —dijo Duarte—. La elasticidad del ser humano es algo impresionante. La verdad que es un chiste un enema al lado de esto que le están metiendo ahora, capaz que tenés razón.

—¿Si cambio de canal deja de grabar?

—No porque la grabadora está conectada a la video, no al televisor.

—¿Puedo cambiar?

—Sí, dale, no estaba mirando, lo tengo de ruido de fondo.

Danielito agarró el control y cambió canales. En CNN, unos japoneses habían logrado filmar por primera vez un calamar gigante vivo. El animal había atacado una cámara con un señuelo a mil metros de profundidad. El ataque fue tan potente que la cámara, sujeta por una boya a la superficie, bajó seiscientos metros más. El calamar había quedado enganchado al cable y tras casi hora y media de lucha logró desprenderse, sacrificando un tentáculo. Las imágenes eran de una oscuridad azul apenas iluminada, y la fantasmal criatura no aparecía nunca del todo: de algún lado, salían unos tentáculos blancos, pero el cuerpo al que pertenecían había quedado sin registrar. En el canal católico había un sacerdote y una mujer de aspecto profesional sentados uno a cada lado de un escritorio. En un televisor grande que era parte del decorado había una placa: «TENGO UN FAMILIAR CON TRASTORNO BORDERLINE».

—*¿Y cuál es el sentimiento preponderante del enfermo?* —*preguntó el sacerdote.*

—*Generalmente se odian a sí mismos. Intento hacerles entender que ellos tienen un alma buena que está estancada en una computadora biológica estropeada.*

—Ha, ha, divina, qué hija de puta, buenísimo —se rió Duarte. Estaba sentado ante su B-36 completa-

85

mente ensamblado y con el esquema de pintura terminado. Había elegido, por lo vistosa, la coloración ártica del mando aéreo estratégico norteamericano en los últimos años cincuenta: gris aluminio, grandes superficies rojas en el empenaje y las puntas de ala, negro mate en la zona de los caños de escape de los motores y verde antirreflejo en el morro, delante de la cabina de pilotos. La maqueta transmitía una idea bastante clara de lo grande que era el avión original y, ya posada sobre los poderosos trenes de aterrizaje, contagiaba el sombrío desasosiego de la destrucción termonuclear para la que tal máquina había sido concebida. O por lo menos eso le parecía a Danielito, que el mes anterior había visto un documental sobre los primeros años de la guerra fría, y se había fascinado con las imágenes de las patrullas de hasta veinte horas de duración que hacían los B-36 en las fronteras del espacio aéreo de Rusia y China, y las pruebas de descuelgue por gravedad de la bomba H, también lanzada desde estos bombarderos. Duarte tenía en una mano la plancha de insignias autoadhesivas y estudiaba las indicaciones de los planos sobre la disposición de los calcos, y los comparaba con las fotos de la enciclopedia de la aviación. Danielito dejó la tele en el canal católico y le preguntó a Duarte si tenía Coca-Cola.

—En la heladera, hay una sin abrir —dijo sin levantar la vista—. Traeme a mí también, poneme hielo. Y traete la latita de porro también, ya que estás.

Danielito sirvió las gaseosas y armó un cigarrillo, lo prendió y se lo alcanzó a Duarte, que dio un par de pitadas profundas con la vista en la televisión. Le alcanzó el cigarrillo a Danielito y se levantó. Fue hasta la cocina y volvió con un plato hondo con agua hasta la mitad. Con una tijera empezó a recortar calcos. Danielito cambió a los canales de películas y dejó en *Un detective suelto en Hollywood II,* que llevaba más o menos veinte minutos de empezada. Duarte aplicaba los calcos con cuidado, apretándolos con algodón mojado contra las superficies, de manera que la delgada película de plástico copiara el relieve de juntas y remaches. Eddie Murpy rescataba a dos niños que colgaban de una especie de vuelta al mundo detenida cuando sonó el teléfono. Duarte le pidió a Danielito que atendiera. Danielito descolgó el teléfono y cambió un par de frases. Tapó el receptor y le dijo a Duarte:

–Para usted. De Resistencia, del Círculo de Suboficiales.

Duarte depositó cuidadosamente el avión sobre la mesa y se levantó para atender. Habló en voz baja, Danielito no alcanzó a entender de qué, y tampoco puso mayor esfuerzo en enterarse.

18

Después de avisar que se iba del departamento, Cetarti llamó para avisar lo mismo a la empresa del cable y pedir que le instalaran el servicio en la casa de su hermano. Era martes, y acordó turno de instalación para el miércoles de la semana siguiente. Al otro día se levantó a las once, prendió el televisor y evaluó las cosas que se iba a llevar: el colchón, el televisor. La heladera no. La pecera con el ajolote sí. El ropero no entraba en la cocina de lo de su hermano. Iba a poner su ropa en un bolso, las otras cosas entraban en dos o tres cajas de cartón y un par de bolsas de nylon negro. Al mediodía llamó Duarte para avisarle que ya estaba la plata del seguro.

—La mala noticia es que las palometas se terminaron llevando diez lucas, nos quedan once a cada uno.

Cetarti le dijo que a caballo regalado no se le miraban los dientes y le preguntó cómo hacían para cobrar.

—Como pusiste domicilio en Córdoba te la van a

depositar en un Banco Nación de allá. Pasado mañana. El tema es que, obvio, te van a girar toda la guita a tu nombre, incluida la mía y la del palometaje.

—Uh, y qué hago con la otra plata, ¿se la giro a usted?

Duarte se rió.

—No, pibe, yo te voy a acompañar a cobrar. Voy en el auto y te aviso cuando esté allá, voy a llegar antes del mediodía seguro.

Después de unas frases protocolarias Cetarti colgó. Se sentó en una silla a mirar el techo. El silencio le hacía silbar los oídos. Pensó que los días siguientes, hasta que tuviera cable en lo de su hermano, iban a ser eternos.

19

El jueves a las once y cuarto de la mañana llamó Duarte, le hablaba desde un locutorio en el centro para anunciar que ya había llegado. Quedaron en verse una hora más tarde en la sucursal del Banco Nación frente a la plaza San Martín. Cetarti llegó bañado y con ropa limpia (sabía que diez mil pesos no hacían mucho bulto, así que llevaba un saco para guardar la plata en el bolsillo interior), oliendo a jabón y porro y con los ojos rojísimos.

–Epa, estuvimos desayunando sano, parece –dijo Duarte después de estrecharle la mano entre sus zarpas–. ¿Trajiste el documento?

Entraron al banco, Duarte se sentó a esperar en un sillón y Cetarti, después de media hora de cola frente al mostrador y la caja, cobró sin problemas. Para repartir la plata Duarte sugirió ir al estacionamiento donde tenía su vehículo, a cinco o seis cuadras de distancia. A Cetarti le pareció bien. El vehículo era una combi mediana, acondicionada como ambulancia, con sirena y todo. Ya en el asiento delantero, repartieron: para Cetarti dos fajos de cincuenta billetes de cien, para Duarte cuatro. El fajo restante Duarte lo separó en dos partes iguales de veinticinco billetes y las ató con unas banditas elásticas que sacó de la gaveta del auto, le alcanzó una de las mitades a Cetarti. Cetarti guardó lo suyo en el bolsillo del saco y Duarte metió su dinero en una bolsa de supermercado y guardó la bolsa en una especie de doble fondo del asiento del conductor.

—¿Vos comiste?

—No.

—Yo estoy con hambre, me voy en un rato pero quiero comer algo livianito. Te invito a almorzar.

Duarte pidió merluza a la romana con puré mixto y una Coca-Cola. Para Cetarti, la mezcla de olores a comida fue un estímulo de doble fuerza, porque llevaba mucho tiempo comiendo sándwiches de miga comprados en quioscos, y tardó en decidirse. Al final también pidió merluza con puré, porque pensó que comer algo muy pesado así de repente tal vez le hacía mal. Cuando agarró el cuchillo para untar manteca en un pedazo de pan, notó que le temblaban un poco las manos. Duarte le dijo que lo veía un poco desmejorado. Cetarti le dijo que estaba haciendo dieta. Dieta estricta, reforzó.

—Debe ser eso —dijo Duarte.

Comieron mirando la televisión, que estaba con el volumen bajo. De postre pidieron queso y dulce de batata y, después de pagar, Duarte le preguntó si estaba en auto. Cetarti le dijo que estaba a pie, que el auto lo había vendido. Duarte le ofreció acercarlo a su casa, o a cualquier lugar. En el camino al estacionamiento y después de pensarlo un poco, Cetarti le preguntó a Duarte si podía pedirle un favor.

Cuarenta minutos más tarde estaban camino de barrio Hugo Wast, con el colchón y el televisor en el asiento trasero y la pecera con el ajolote en el regazo de Cetarti. Duarte manejaba despacio y evitaba las maniobras bruscas para que la pequeña salamandra no se golpeara contra las paredes de vidrio. Le había gustado mucho al verla, se la había quedado mirando un rato muy interesado, y ahora le venía contando a Cetarti que una vez había leído en una revista *Selecciones* un artículo sobre el ajolote.

—No es una salamandra-salamandra. Es más bien una larva de salamandra que no evoluciona a no ser que la fuerces. Como un renacuajo que vive su vida entera sin convertirse en rana.

—Acá donde vamos hay un montón de revistas *Selecciones* viejas.

—Uh, es buenísima la *Selecciones*. Te enterás de muchas cosas, te da cultura general.

—Ahora cuando llegue revíselas y llévese las que quiera, hay muchas, en serio.

Bajaron las cosas hasta la entrada, Cetarti abrió la puerta y prendió la luz, Duarte silbó ante el semiprolijo amontonamiento de cosas.

—Epa. Y esto.

—Es todo de mi hermano.

Cetarti entró sus cosas y las llevó a la cocina. Duarte curioseó entre las cosas amontonadas.

—Parece la tumba de Tutankamón pero con mugre en vez de tesoros. ¿Y a qué se dedicaba tu hermano? ¿Cirujeaba?

—No sé. No lo vi en muchos años. Ni siquiera sabía que vivía acá.

—Y cómo tenés las llaves.

—Usted me las dio. Estaban en el bolso que me dio en Lapachito.

—¿Y está toda la casa así?

—Sí, son este living y otras dos habitaciones llenas. Y un garaje también, igual que esto.

—Y él dónde vivía.

—Acá —dijo, prendiendo la luz de la cocina.

Duarte miró con interés las instalaciones y se detuvo frente al cuadrito con el elefante.

—Elephas maximus —leyó, y asintió con la cabeza—. Son malísimos estos bichos.

—No, los de la India son mansitos. Los malos son los de África.

—En la India hay elefantes con estrés postraumático que matan gente. Les golpean la puerta y cuando la gente abre, les pegan con la cabeza y los matan. Lo vi en Animal Planet.

A Cetarti no le cerró lo de que la gente le abriera la puerta a un elefante (¿cómo la gente no se daba cuenta de que era un elefante lo que golpeaba la puerta?, ¿cómo no los escuchaban acercarse?), pero no quiso polemizar.

—Cómo estrés postraumático.

—Sufrieron violencia por parte de los humanos.

Les mataron la madre delante de ellos, cosas así. O se escaparon de esas granjas donde los entrenan para trabajar. Y quedaron medio mal y atacan a los humanos.

—Acá en el zoológico hay una elefanta que le habían pegado mucho. La habían electrocutado incluso.

—No me digas.

—Sí, la donaron al zoológico hace unos días. La dejó un circo porque no se la podían llevar, se estaba muriendo.

—Y por qué la habían electrocutado.

—Para enseñarle a bailar. En el circo, el bicho era la elefanta que bailaba. Y para que aprendiera a bailar la paraban sobre unas chapas y le daban electricidad.

—Ha, ha, qué pedazo de hijos de puta, vas a bailar o no vas a bailar, bicho de mierda.

—Y, bueno, tanto le dieron que al final la elefanta nunca más dejó de mover las patas. Me acordé cuando dijo lo del estrés postraumático, porque este bicho no puede parar de mover las patas.

—Está bueno.

Cetarti había dejado la pecera sobre la mesada. Duarte se agachó para mirar el ajolote.

—Che y por qué traes el bicho acá, si no lo querés dámelo a mí.

—No lo voy a abandonar, me lo quedo. Me estoy yendo del departamento aquel y me vengo acá. Me ahorro el alquiler.

—Ah, te estás mudando. ¿Y esta casa es propiedad de tu hermano?

—No sé. Pero no creo que haya estado alquilando esto.

—Capaz la usurpó.

—Capaz. O se la dieron.

—También. Che, esto será barato, pero es un poco deprimente, entre toda esta mugre. ¿No te da para un lugar mejor? Ahora tenés plata.

—Me quedé sin trabajo. No voy a gastar esta plata en alquiler.

Se quedaron un par de segundos en silencio.

—Le muestro las revistas —dijo Cetarti. Se movió hasta el baño y prendió la luz.

—Acá están. Le regalo la mitad, si quiere.

—Buenísimo. Me las llevo.

Ayudó a Duarte a cargar las revistas en el auto, hicieron varios viajes. Después Duarte le ofreció volver a llevarlo a su casa, pero Cetarti declinó, dijo que se iba a volver caminando. En la vereda, Duarte olfateó el aire y preguntó qué era ese olor asqueroso. Cetarti le contó de la cercanía del matadero, pero que no era constante sino cuando soplaba el viento, el otro se rió y dijo que menos mal.

Después de que Duarte se hubiera ido, Cetarti prendió un porro y curioseó entre las cosas acumuladas. Encontró una caja llena de revistas *Muy Interesante* y de la edición en castellano del *Scientific American*. En una de las tapas de *Muy Interesante* había un título secundario que le llamó la atención: «Fosas del Cantábrico: a la caza del calamar gigante». Separó ésa y una veintena más de revistas. Las metió en una bolsa de nylon y se las llevó a su casa, para tener algo que mirar mientras no tuviera televisión.

20

El miércoles al mediodía, mientras los técnicos del cable hacían la instalación del servicio en la casa de su hermano, Cetarti pegó dos páginas de la revista *Muy Interesante* en la pared de la cocina, al lado del cuadrito del elefante y con cinta scotch.

Cuando se fueron los del cable caminó un par de cuadras hasta un almacén. Ahí pidió cien gramos de jamón, cien de salame y doscientos de queso, llevó también un paquete de papas fritas, uno de pan lactal en fetas y una Coca-Cola de litro y medio. Prendió la televisión y almorzó sentado sobre el colchón, que había puesto sobre el de su hermano. Comió un sándwich de jamón y queso y dos de salame y queso, la totalidad de las papas fritas y la mitad de la botella de Coca-Cola. Después miró un documental sobre cocodrilos australianos, que no llegó a ver ni a la mitad porque se durmió.

Se despertó a las dos y cuarto de la madrugada, con un ligero dolor de cabeza. En el televisor había unas garzas migrando sobre unos lagos de África. Tomó una aspirina y se comió el resto de fiambre y tomó lo que quedaba de Coca-Cola. Después caminó entre las cajas y las bolsas de las habitaciones, iluminadas solamente por el resplandor de la luz cambiante del televisor que venía de la cocina, y sintió un poco de aprensión. Decidió que al día siguiente empezaría a limpiar todo aquello.

Fosas del Cantábrico

A LA CAZA DEL
CALAMAR GIGANTE!

Un ejemplar inmaduro de *Architeuthis Dux* varado en Kyoto. A pesar de los esfuerzos por mantenerlo con vida, murió de anoxia pocas horas despues. Midió 6,20 m. de largo y pesó 220 kg.

El 20 de Octubre próximo, zarpará desde Castro Urdiales la "Expedición Kraken", un emprendimiento conjunto de científicos del Instituto Oceanográfico Nacional y técnicos de la productora televisiva Gaia Films. La expedición partirá hacia las fosas del caladero de Carrandi, un punto del Cantábrico situado a unas pocas millas de la costa española. Allí permanecerán más de dos semanas explorando las profundidades abisales, un hábitat casi tan desconocido para el hombre como la superficie de Marte. Esperan poder filmar por primera vez en su elemento natural a un ser que hasta la fecha nunca ha sido visto con vida: el invertebrado más grande del reino animal, conocido como megaluria, calamar gigante o *architeuthis dux* (tal su nombre científico, traducible como "príncipe de los antiguos calamares"). Poco se sabe de la vida de estos colosales cefalópodos que ya en el

XVI eran conocidos por los pescadores noruegos, cuando se referían a ellos con el nombre de Kraken. No es éste el primer intento de grabarlo vivo: hace dos años, el

UN MEDIO AMBIENTE EXTREMO

"En estas zonas, los pescadores han capturado ejemplares de 14 metros, de manera que nos parece más que prometedora para encontrar un gran calamar y filmarlo en estado natural", explica Sergio Mansur, biólogo, aventurero y director de la campaña. Mansur conoce a fondo la zona y sus posibilidades. Las dificultades técnicas, sin embargo, no son pocas: "Es un problema intentar grabar en una zona sin luz y con 80 atmósferas de presión. Pero si el calamar aparece, las cámaras están en condiciones de captarlo", dice confiado. Estas heladas profundidades marinas son la última frontera terráquea. "Estos animales viven en un entorno que es muy hostil para la vida tal y cual la conocemos, y sus adaptaciones a ese entorno también son extremas. Tiene tres corazones, una visión cien veces más potente que la del ser humano, y un cerebro muy desarrollado. Para manejar la flotabilidad en un entorno de gran presión, su cuerpo está impregnado de amoníaco. Comerse unas rabas de este calamar sería como beber un trago largo de líquido destapador de cañerías".

National Geographic destinó infructuosamente millones de euros para tratar de captar imágenes de este misterioso gigante. Para ello colocó arneses con cámaras en los lomos de cachalotes (único predador natural del *architeuthis*). El intento se frustró debido en parte a la impenetrable oscuridad abisal, y en parte debido a que los cetáceos se liberaban de la molestia de las cámaras frotando los lomos entre sí. Esta vez se intentará la hazaña colocando tres boyas que acoten una zona triangular del océano. Debajo de cada una irán suspendida una cámara situada entre los 500 y los 800 metros de profundidad. Cables de fibra óptica las conectarán a un equipo resguardado en la boya que mientras almacena sin interrupción, enviará al buque oceanográfico todas las imágenes que los objetivos recojan a su alrededor. Una cuarta cámara con movimiento colgará del barco, igual

Las páginas que pegó Cetarti en la pared de la cocina.

que dos submarinos teledirigidos, similares a los que se usaron en la investigación de los restos del Titanic. Nunca se ha capturado vivo un ejemplar adulto de esta especie. El ejemplar más grande hasta ahora conservado mide 10 metros y pesa 492 kilos. Sin embargo, los picos hallados en el vómito de cachalotes moribundos, y por el diámetro de las ventosas encontradas en la piel de los cetáceos, se especula con tamaños de hasta treinta metros, y pesos de más de una tonelada.

DE LEYENDA MARINA A MONSTRUO REAL

El calamar gigante es conocido como animal fantástico desde la antigüedad. Homero, en la "Odisea" (900 a.de C.), cuenta el enfrentamiento de Ulises con una criatura feroz llamada Escila, "con doce piernas deformes, que asustaría hasta a un dios". Plinio el viejo ("Historia Natural") cuenta de un "pólypo" de tamaño descomunal pescado en la costa atlántica española. Es mencionado como un animal existente por primera vez en 1555, con el nombre de "Kraken": el arzobispo de Suecia Olaus Magnus ("Historia de la Gente de las Regiones Nórdicas") refiere que en aguas de Noruega, entre las cavernas de la costa vivían "serpientes de 70 metros de largo y 10 de espesor, dotadas de larga melena, ojos como llamas y cubiertas por afiladas escamas de color negruzco. Acostumbran perseguir a las embarcaciones y se elevan como columnas para barrer con los marinesros de cubierta y devorarlos". El zoólogo renacentista Ulises Aldrovaldi habló de "enormes pulpos con instintos feroces". El misionero noruego Hans Edge informó en 1734 sobre el avistamiento de un monstruo marino en la costa de Groenlandia. Según su descripción, "el cuerpo de la bestia era tan grueso como un barco y tres o cuatro veces más largo, y que el monstruo surgía de las

Architeuthis Dux capturado en el Mar de Ross, cerca de la Antártida. Se encontraba a 400 metros de pofundidad, comiendo merluzas que pueden tener hasta 2 metros de longitud.

aguas con un salto ágil y volvía a sumergirse". En 1856, se presenta el primer testimonio fiable de la existencia del Architeuthis cuando el zoólogo danés Japetus Steenstrup expone oficialmente el pico de uno de estos colosos. Hasta ese año, la ciencia se mantenía reacia a aceptar la existencia de estos invertebrados, tachando de historias y leyendas cualquier relato sobre avistamiento.

EN PELIGRO?

Varamiento de calamares gigantes inmaduros en la costa del Cantábrico.

Las ondas de frecuencia media, utilizadas para determinar la existencia de hidrocarburos en plataformas submarinas, pueden estar afectando el organismo de los calamares gigantes, y hasta provocarles la muerte. Se han registrado varamientos en la costa del Cantábrico, coincidiendo con las operaciones de barcos que exploraban el Golfo de Vizcaya mediante la técnica de sondas de frecuencia media expansiva. Las necropsias de estos animales determinaron daños en los sistemas circulatorio, nervioso y auditivo.

ENCUENTROS CON UN GIGANTE ESQUIVO

El 17 de Noviembre de 1861, la tripulación del barco francés de guerra "Alecton" tuvo un encuentro con un calamar gigante frente a las costas de Tenerife (Islas Canarias). A pesar de los esfuerzos de los marineros por izarlo a bordo, el ejemplar se desgajó en dos partes y los arponeros pudieron conservar sólo la enorme cola que llego a medir unos 8 metros de largo.

Entre 1871 y 1876, una veintena de Architeuthis aparecieron en la playa de Thimble Tickle, en Terranova, lo que permitió que el naturalista Addison Verrill los estudiara. El de mayor envergadura medía desde el extremo de la cola a la boca, poco menos de 10 metros. Sus brazos alcanzaban casi los 20 metros de largo y tenían el grosor del cuerpo de un hombre. Los tentáculos estaban dotados de poderosas ventosas con dientes, cuya circunferencia de su cuerpo medía 2 metros y su peso se calculó en varias toneladas.

En 1943 hubo un encuentro entre un calamar gigante y un pescador, mar afuera en las Islas Maldivas (Océano Indico). El pescador (señor J.B.Starkey) indicó que estaba pescando en medio de la noche cuando un megaluria pasó junto a su bote. Lo primero que vió fue un halo lumínico verdoso, el cual lo iluminó en la oscuridad . En el centro de dicho halo, pudo vislumbrar un ojo del tamaño de un plato de cocina, que no parpadeaba. Pudo ver sus tentáculos, los cuales medían más de 60 cm de grueso.

Minutos después, el gigantesco calamar salió disparado y se desvaneció en las tinieblas.

21

Danielito estaba en un quirófano, pero a la vez no estaba, su presencia no era del todo física. En el quirófano había dos mesas de cirugía. En una de ellas había un bebé vivo y en la otra había un bebé muerto. No había más gente, pero de un momento a otro iban a entrar unos médicos para hacer un trasplante de órganos del niño vivo al niño muerto. En la puerta del quirófano, del lado de afuera, esperaba una mujer, la madre del niño muerto. Hacía un rato, alguien le había dicho que él, Danielito, era un piso al que le acababan de arrancar la alfombra. Sentía dos cosas: desasosiego y ganas de orinar. Fue hasta un rincón del quirófano y comenzó a orinar. Sonó un timbre, probablemente anunciando el ingreso de los médicos, pero no entró nadie. El timbre volvió a sonar, y Danielito se dio cuenta de que tenía la ropa mojada. Al tercer timbrazo el quirófano desapareció y Danielito abrió los ojos. El teléfono sonó una vez más y se calló, pero ya lo había despertado. Parpadeó mirando al techo y comprobó que, como medio se había dado cuenta mientras soñaba, había mojado las sábanas. En calzoncillos sacó las sábanas del colchón y las tiró en la pila de ropa sucia, y después sacó el colchón al sol para que se secara. No tenía idea de la hora, pero debía estar cerca del mediodía. Se sacó los calzoncillos y entró a bañarse. El teléfono volvió a sonar. Danielito llegó tropezando hasta el aparato, era su madre para pedirle que fuera urgente.

—¿Qué hora es?

—Casi las doce. Vení que me mordieron los perros.

Se vistió, sacó la camioneta y en menos de diez minutos estuvo en lo de su madre. Ella lo hizo pasar, tenía la mano y el antebrazo derechos apretados con una venda elástica manchada de sangre, sujeta con dos alfileres de gancho. Había estado dándoles de comer a los perros, tuvo un mareo y se cayó al suelo.

—Y apoyé la mano al lado de la comida de Torito. Se ve que creyó que le quería sacar la comida y me agarró la mano. Me arrastró unos metros y pude agarrar un ladrillo de al lado del muro y con eso me lo saqué de encima, le pegué en la cabeza.

Danielito le dijo que se subiera al auto, que la llevaba al hospital.

—No, no, no necesito, ya me lavé, me puse Merthiolate y me vendé.

—Pero te van a tener que hacer puntos, mirá todo lo que sangraste.

—Yo me voy a curar. Hay sangre de Torito también, no es toda mía.

Sobre la mesa de la cocina estaba la caja del pistolón calibre 14 que tenía su madre por seguridad.

—No me animo a matarlos porque los crié yo. Pero no los aguanto más.

Danielito salió al patio. Los dos perros se acercaron temerosos, agachando la cabeza y moviendo el rabo entre las piernas. Danielito los palmeó en los flancos. Torito tenía la cabeza ensangrentada y sobre el piso de cemento al lado del muro había dos charcos de sangre mas o menos grandes, conectados por gotas alineadas marcando el camino que había seguido el animal al moverse de un lado a otro. Danielito se agachó para inspeccionar el daño. Quiso tocarle la cabeza, pero el perro la apartó gruñendo y mostrando los dientes.

—Le reventaste un ojo.

El ojo izquierdo del animal estaba hundido para adentro, opaco de sangre y coágulos. La cabeza tenía varios tajos, al lado de la oreja colgaba una tirita de cuero. Su madre había usado el lado filoso del ladrillo.

—Y que querés, me iba a matar si me quedaba quieta. Tenía que hacer que me soltara de alguna manera.

—Te aviso que yo no los pienso matar.

—Daniel, por favor, ya no los puedo tener. Y yo no los puedo matar, los crié desde chicos.

A Danielito le recorrió un escalofrío por la espalda, un poco al escuchar su nombre.

—Me los llevo entonces. Pero no los voy a matar. ¿No te queda Rohipnol?

Su madre fue adentro y volvió con un blíster de pastillas y la cerbatana. Danielito le puso una pastilla en la garganta a cada uno y esperó a que hicieran efecto. Con algún esfuerzo (eran pesados y como estaban relajados costaba mantener los cuerpos en una posición), los llevó en brazos al asiento trasero de su auto. Los perros gruñían disconformes pero casi no se podían mover, así que no representaban ningún peligro. Su madre le alcanzó otro medio blíster de Rohipnol.

—Para cuando se les pase.

—Dejá, yo tengo en casa.

—Tomá. —Le puso las pastillas en la mano—. Ellos saben que yo ya no estoy acá.

Manejó hasta Makallé para ir a una veterinaria. Bajó a Torito para que lo curaran. Le limpiaron el ojo y le cosieron el colgajo de piel. Le recomendaron seguir dopándolo unos días para que no se rascara y se abriera los puntos.

22

Duarte estaba fascinado por el porte de los animales y se divertía palmeándole el hocico a la perra y esquivando los mordiscos lentos que ésta tiraba en respuesta. Hacía una hora que Danielito les había renovado las pastillas, así que los perros seguían bastante abombados, tirados en el piso. Torito tenía una venda que rodeaba la cabeza para sujetar el parche en el ojo que había perdido.

—Guarda que están lentos de reacción, nomás —dijo Danielito—. Pero son unos hijos de puta, ésta si lo engancha capaz que le arranca la mano, es más mala que el perro.

—Qué va a arrancar, pobre boluda —dijo, y le pegó fuerte en el hocico. La perra entrecerró los ojos, lanzó un gruñido lento y grave y abrió la enorme boca mostrando los dientes en una mueca escalofriante—. Ha, ha, pero tenés razón, llega a estar bien y me mastica con huesos y todo. Cuánto pesa.

—Qué sé yo. Un montón, los traje en brazos.

—¿Y semejantes bichos manejaba tu vieja?

—Tienen collar de ahorque.

—Lo mismo, con collar de ahorque los manejamos vos y yo, pero tu vieja..., qué barbaro. Aparte la manera en que lo castigó a este pobre perro —dijo, señalando a Torito—, un poco más y lo mata, porque cuánto le faltaba para abrirle el cráneo. No mucho, me parece...

—Le pegó con un ladrillo. Con la parte filosa.

—Estuvo piola. ¿Y tu vieja les tenía miedo? Qué caradura. Le tendrían que tener miedo *a ella*.

—Le tienen miedo. Pero creyó que le iba a sacar la comida y la atacó, son animales con mucho instinto. La mordió muy fuerte en el brazo, tampoco es que mi mamá se la llevó de arriba. Estaba vendada, las vendas estaban llenas de sangre.

—Sí, bueno, pero eso es lo que te quiero decir. Cualquier mujer del tamaño de tu vieja no le dura cincuenta segundos a este perro. Y tu vieja lo caga a ladrillazos y casi lo mata. Una campeona. Aparte estos perros no sienten el dolor.

—Éste sintió algo, si no no la hubiera largado.

—Tenés razón. ¿Y qué te dijo de que no se animaba a matarlos ella?

—Que no podía porque los había criado.

—Ha, ha, qué divina.

23

A pesar de su decisión tomada, Cetarti tardó un poco en empezar con la limpieza de las habitaciones y el garaje. Los primeros días daba vueltas entre las pilas de basura, pensando en una manera eficaz de librarse de aquel montón de cosas. Pensó que había que revisar todo aquello antes de tirar algo, y que había que hacerlo sistemáticamente para no convertir el lugar en un caos más grande. Se le ocurrió entonces clasificar las cosas en tres grupos: primero la basura lisa y llana, que sería embolsada y sacada diariamente. Después las cosas vendibles de a kilo (papel, que había mucho, y otros), que serían acopiadas en la galería, bajo el techo. La tercera categoría era hipotética: objetos factibles de ser vendidos en negocios de compraventa de usados. De haberlos, pensaba acomodarlos en el espacio que dejaran libre el resto de las cosas de la primera habitación que limpiara. Una vez decidida la metodología, puso manos a la obra: compró diez paquetes de bolsas de basura tamaño consorcio, un escobillón y una palita de plástico, un balde y un lampazo, lavandina y desinfectantes para piso. Empezó por el living. Ese primer día movió cerca de ciento cincuenta kilos de papel a la galería (diarios viejos, dos cajas de guías telefónicas) y sacó nueve bolsas de basura a la calle. Para la última categoría sólo pudo separar una Enciclopedia Sopena de cinco tomos, edición de 1957, ilustrada profusamente. También rescató dos planchas de telgopor impecables, de veinte por treinta centímetros y dos de espesor. A la tarde salió a caminar (más de tres horas) por el costado del río. Esa noche no cenó y estuvo viendo televisión hasta las dos de la madrugada. Después se durmió profundamente. Soñó que él y su hermano estaban al atardecer en una playa. En la playa habían varado cientos de calamares gigantes inmaduros (cuerpos rosados de ocho o nueve metros de largo, tirados sobre la arena como globos irregulares un poco desinflados). Los cefalópodos agonizantes hacían centellear sin mucha fuerza sus ojos y movían torpemente los tentáculos. Impedidos de otra acción, agarraban montoncitos de arena y los dejaban deslizarse entre las ventosas, o palpaban piedras, caparazones de otros moluscos muertos o botellas de plástico. Cetarti y su hermano caminaban entre los calamares. Cetarti de alguna manera podía percibir vívidamente el estado de ánimo de los animales: una tristeza instintiva y un sentimiento de confusión ante las extrañas percepciones táctiles (el aire salino, la piel perdiendo humedad aceleradamente), la confusión por la luz potente y lo repentinamente pesado de los cuerpos. En un momento su hermano se detuvo y miró a Cetarti con la misma expresión grave que en la foto de cuando eran niños. Se arrodilló al lado de uno de los cuerpos, señaló una parte de la cabeza y dijo algo. Cetarti no entendió. Le quiso pedir que le dijera de vuelta, pero se dio cuenta de que él, Cetarti, tenía los labios pegados. O directamente no tenía boca: no sabía, porque no se podía ver la cara.

24

Duarte tamborileaba los dedos sobre el volante. Había caído la noche y conversaba con Danielito en la oscuridad de la cabina de la camioneta.

—La torturaron con electricidad para enseñarle a bailar. La paraban arriba de una chapa y le daban máquina y la elefanta terminó moviendo las patas todo el tiempo, no puede parar de moverse.

—Claro —dijo Danielito después de pensarlo un momento—, pero entonces no es que bailaba. Movía las patas nomás.

—Y qué te crees, que van a estar con un coreógrafo los tipos. Supongo que a lo sumo después le pondrían una música que más o menos pegaría con el movimiento de las patas.

—Y sí, no hay otra. Qué le importa la música al elefante.

—Y claro.

Duarte se rascó entre las cejas.

—Yo si fuera el que le tocaba enseñarle a la elefanta, le pondría una música bien así marcada: tun, tun, tun. Y la paro sobre la chapa y con cada «tun» le doy electricidad, así va aprendiendo que cada vez que suena el «tun» tiene que levantar las patas.

—Pero si le da electricidad a las cuatro patas va a tratar de levantarlas a la vez. Va a saltar, no va a bailar.

—Habría que darle de a dos patas. Una de adelante y otra de atrás, así en diagonal.

—Ahí capaz puede ser.

Duarte prendió la radio de la ambulancia. Por un rato estuvieron en la oscuridad en silencio, escuchando sin hablar. En un momento Duarte miró su reloj y le dijo que capaz que ya tenía que bajarse. Danielito obedeció y se paró a un costado de la tranquera, entre unas plantas altas que había. Esperaron unos veinte minutos en sus lugares. Empezó a escucharse, cada vez más fuerte, el ruido de un scooter acercándose. La motito llegó hasta la tranquera, se detuvo y bajó una mujer con casco. Apenas la mujer se bajó de la moto, Duarte prendió las luces de la camioneta. Sorprendida, la mujer se paralizó y miraba la fuente de luz con los ojos entrecerrados. Entonces Danielito salió de entre las plantas, le puso una bolsa de plástico en la cabeza, la tiró al piso y la maniató con un precinto. Ayudado por Duarte, subió la mujer y la moto a la camioneta. Danielito se quedó en la caja y Duarte cerró la puerta trasera. Después se puso al volante y arrancó. En la parte de atrás de la camioneta, sin nada de luz, Danielito le sacó el casco a la mujer, buscó al tacto la boca, le metió un Rohipnol y la amordazó con cinta de embalar, apretando bien fuerte. Para que la mujer no pudiera ver nada después, repitió la operación con la cinta a la altura de los ojos.

25

Danielito se levantó a las nueve y media, nuevamente con la ropa y el colchón mojados. Sacó todo al patio, les puso comida y agua a los perros y se bañó. Después preparó dos tazas de té con leche y unas cuantas tostadas. Untó mermelada de ciruela en tres tostadas, las puso en un plato junto con una taza de té y bajó al sótano. La señora estaba en la cama, con una mano esposada a un agarre de la pared, todavía un poco lenta por la pastilla pero bastante mejor, más despierta. Apoyó el plato en una mesita despintada al lado de la cabecera de la cama.

–Gordo puto. Me hace mal el café con leche.

–Es té con leche.

–La leche, me hace mal

–Si no quiere no lo tome, ahora le hago un té solo. Cómase las tostadas. Tienen mermelada.

Con la mano libre, la vieja empujó el plato sin mucha potencia, aunque la suficiente para que todo cayera al piso y se partiera en pedazos.

–Gordo de mierda. Métase las galletitas en el culo, gordo puto, homosexual.

Danielito reparó en que las tostadas habían caído las tres con la mermelada contra el piso. Pensó en cuál era la probabilidad matemática de que eso sucediera. Pensó con molestia en el tacto desagradable de lo pegajoso de la mermelada pringando las astillas de loza, le dio una pereza infinita saber que tenía que limpiar.

–Como quiera.

Duarte llegó, como había prometido, a las doce. No estaba muy contento.

–Estuve hablando con el boludo del hijo. Me está empezando a parecer que nos está queriendo caminar la espalda. Estuve chequeando y el tipo no hizo ninguna denuncia ni habló con la policía. Pero a la vez da vueltas, ahora me dice que no es fácil encontrar compradores, que lo aguante un par de días..., es raro.

–Capaz que le estamos haciendo un favor. Es bravísima la vieja.

–Sí, he, he..., capaz que somos unos boludos bárbaros, le limpiamos la madre y se queda con todo, hecho un duque... Encima sí, el hijo de puta tiene ese tonito llorón para hablar, se le nota que no está mal de en serio. En la vida real, digamos. ¿La vieja está despierta?

–No del todo. Pero bastante.

–Bueno. A partir de ahora no le hablás más ni le prendés la luz, y sacale el televisor. Y le vamos a cambiar las pastillas.

Fueron hasta el sótano y Danielito prendió la luz.

La vieja primero entrecerró los ojos ante el súbito resplandor y después los fue abriendo de a poco.

—¿Y éste quién es, gordo puto? ¿Uno que te rompe el ocote, gordo homosexual?

Duarte se acercó a la vieja y le soltó un tremendo puñetazo que le dobló la cara. La señora asimiló el golpe y, más que nada, el cambio de situación. Miró primero a Danielito y después, con una expresión más temerosa, a Duarte. Duarte le pegó otra vez.

—Soy el que te va a romper el culo a vos, si no te ponés un poco las pilas.

26

Cetarti a esta altura dejaba de fumar marihuana únicamente cuando dormía o se bañaba. Se había perseguido con que los vecinos olieran algo y lo denunciaran a la policía, de manera que se hacía notar lo menos posible: salía sólo de noche y para sacar la basura producto del proceso de limpieza de la casa de su hermano, o para comprar pizza y agua mineral en una rotisería que había a cuatro cuadras (una pizza le duraba dos días). Ya había terminado de limpiar lo que sería el living y avanzado algo con la primera habitación. Había juntado unos ochocientos kilos de papel entre revistas, diarios viejos, cajas de pizza aplanadas, cartones de leche y jugo y vino aplastados, y sacado treinta y seis bolsas de basura a la calle. Aunque seguía dedicando mucho tiempo a mirar televisión y a la contemplación de los movimientos del ajolote, se entretenía algunas horas por día clasificando la basura: completamente drogado, sentado en un banquito, iluminado con una lamparita de cien watts en una portátil, revisando y embolsando las cosas y sorprendiéndose apagadamente por la amplísima variedad de porquerías que se acumulaban: placas viejas de circuitos integrados, carcasas de monitores de pc (incluso un par de monitores enteros), bolsas con resortes, ropa vieja arrugada, juguetes rotos, macetas con tierra reseca, exhibidores de chicles para quioscos, botellas viejas, vasos plásticos de yogur y dulce de leche apilados unos adentro de otros, bolsas con cabezas de muñecas de goma, electrodomésticos que no funcionaban, jaulas desfondadas para canarios. En la primera habitación que había quedado limpia, a los tomos de la enciclopedia se habían agregado una caja con piezas de motor de un Citroën 3CV, etiquetada «engranajes caja de transmisión/carburador/semiejes» con marcador grueso, una escalera de aluminio plegable en buen estado, un juego de lavatorio, inodoro y bidet, una bicicleta desarmada con las llantas sin neumáticos, cuatro tramos de cables de extensión completos y doce cajones de cerveza con la totalidad de los envases, que después sacó al patio al lado del papel, con casi cincuenta botellas de vidrio que estimó vendibles por peso. Aun con estas cosas apiladas contra una de las paredes, la habitación limpia era como una burbuja de aire a la que ir a respirar cuando el resto de la casa lo agobiaba. Había dejado un almohadoncito y cuando se cansaba iba y se sentaba ahí y repasaba con la vista las cosas que iba rescatando.

Una mañana que estaba desarmando una de las estanterías que había vaciado, escuchó un corto ruido a ¿cascos?, ¿pezuñas? y después un golpe tremendo contra la pared de la entrada a la casa. Se sintió otro golpe, había personas gritando. Se quedó paralizado, lo único que se le ocurrió es que venía a buscarlo la policía, pero después escuchó mugidos. Otro golpe tremendo y algo de ruido de mampostería cayendo. Se levantó de un salto y espió por los agujeritos de las persianas. Un enorme cebú estaba batallando en su vereda con varios hombres de overol celeste que trataban de enlazarlo. Ninguno era policía. El cebú, acorralado en la pelea, había golpeado contra el frente de la casa, tumbando uno de los pilares y desempotrando uno de los tramos de murito. Cada vez que retrocedía resbalaba contra la pequeña demolición. Lo hizo varias veces hasta que lograron manearle las patas de adelante y lo tumbaron al piso. Un hombre trató de atarle las patas traseras, pero el animal, que pateaba desesperadamente, lo alcanzó en un brazo, se escuchó claramente el ruido del hueso al romperse. El hombre gritó, se agarró el brazo y al contraerse por el dolor recibió una coz en pleno rostro. Cayó como una bolsa de papas en el medio de la calle y no volvió a gritar. El animal logró zafarse de las maneas y salió de cuadro a toda velocidad. Dos hombres quedaron junto al tendido y los otros salieron corriendo atrás del cebú. Se acercaron algunos vecinos, un viejo en pijama corto y chinelas fue a la casa para llamar a una ambulancia. Cetarti abrió la puerta y salió a ver. Los vecinos lo miraron con curiosidad y disimulo, o eso le pareció. Se escuchó una frenada en la otra esquina, a un centenar de metros, y

117

de nuevo un golpe y mugidos. Una camioneta de reparto había atropellado al cebú. Cetarti se movió hasta el lugar de la colisión. El animal había ido a parar a una vereda y estaba vivo, pero gravemente herido. Trataba de pararse y los cuartos traseros no le respondían. Se removía inútilmente, soltaba espuma por la boca, mugía, aunque más despacio. Parados al lado estaban dos personas, aparentemente los que estaban en la camioneta (un reparto de soda), y tres hombres de overol. Se acercó otra gente, y al principio nadie hizo mucho más que mirar sin decir nada.

—Se quebró la columna —dijo de repente un viejo. Era el mismo viejo de pijama y chinelas que había llamado por teléfono a la ambulancia—. Tengo una escopeta en mi casa. Si me dejan, termino con el sufrimiento de este animal.

Uno de los empleados del frigorífico tenía un handy en la mano. Consultó con alguien y recibió una respuesta ininteligible.

—No. Ahora lo llevamos al frigorífico y lo matan allá, gracias.

Minutos después llegó un camioncito del frigorífico, y cargaron al animal entre insultos, sin ahorrarle ningún sufrimiento. Mientras lo acomodaban para poder cerrar la portezuela de la caja, Cetarti miró la cara del toro, que resoplaba como un motor viejo. Se vio a sí mismo en el reflejo convexo del ojo del animal. Ya no había furia. Uno de los de la camioneta se miraba las manos.

—Estoy empezando a temblar, me está bajando el susto del choque.

118

Las manos, era cierto, temblaban. El tipo las mostró sonriendo.

La gente del frigorífico subió al camioncito. Los de la camioneta volvieron a su vehículo, chequearon los daños (mínimos) y probaron si arrancaba. El que temblaba subió del lado del acompañante. La camioneta arrancó perfectamente y los tipos se fueron saludando.

27

Tres días después empezó a limpiar el garaje. Los hallazgos de las primeras horas de la mañana fueron otro diccionario en cuatro tomos, una *Enciclopedia de los secretos del mar de Jacques Costeau,* completa (15 tomos con tapas), pero embolsada en fascículos sin encuadernar, seis sillas de plástico apiladas y una mesa para televisión. También encontró dos bordeadoras y una cortadora de césped. Las probó en un enchufe: una de las bordeadoras no andaba, las otras dos máquinas funcionaban. Decidió cortar el pasto del patio. Fue a buscar los cables de extensión y armó una prolongación lo suficientemente larga para moverse por la mayoría del patio con las cortadoras. El pasto estaba muy alto y lo cortó en dos etapas. Primero avanzó por la maleza bajando los tallos con la bordeadora. Encontró que al fondo (diez metros) había un asador que no había visto, tapado como estaba por los yuyos. Cuando terminó de pasar la cortadora, lo revisó. No parecía haber sido usado en años, y había algo muy desagradable en la mesita de cemento adosada a la parrilla: un pequeño amontonamiento de animales muertos. Insectos resecos, cadáveres de ratones y pájaros en diversos grados de descomposición, inclusive esqueletitos con piel pegada o sin. Ése debía ser el origen de los insectos del cajón del roperito. Desenchufó la cortadora y llevó las máquinas adelante, con las otras cosas vendibles. Trajo una bolsa de nylon y la palita. Recogió ocho paladas de cuerpos. Para empujar adentro de la bolsa lo que no había podido levantar con la pala, sacó de la montaña de escombros un rectángulo de chapa galvanizada. Cuando apoyó la chapa sobre la mesa de cemento, recibió una potente descarga eléctrica que duró un par de segundos hasta que, producto de la misma contracción muscular, separó la chapa de la mesa. Quedó unos instantes absorbiendo el suceso, con los músculos temblando y la respiración muy dificultosa, consecuencias directas del choque eléctrico. Su mano en un momento aflojó la presión y la chapa cayó al piso. Sintió que él también se iba a caer y trató de correrse lejos, por las dudas. Se sentó un rato en el césped recién cortado, mientras normalizaba la respiración y el cuerpo dejaba de temblarle.

Más a la tarde, llevaba un par de horas cambiando canales sin pensar en nada específicamente, cuando golpearon la puerta. Con alguna dificultad se calzó las zapatillas y fue a espiar por la persiana. Era el viejo que, vestido de pijama corto y chinelas, había ofrecido rematar de un escopetazo al cebú atropellado. Ahora estaba un poco mejor vestido (camisa a cuadros y pantalón ombú, no llegaba a verle los pies). Golpeó la puerta de nuevo. Los golpes no eran muy enérgicos, como si supiera que él estaba ahí al lado. Cetarti abrió. El viejo lo saludó, se presentó como Gómez. Tenía puestas las mismas chinelas de la otra tarde y se lo notaba un poco incómodo. Le dijo que vivía al frente y lo había estado viendo sacar las bolsas por las noches y que parecía que estaba limpiando la casa. Cetarti le contestó muy parcamente que sí, que estaba limpiando.

—Cuando le vi anteayer la cara con luz yo dije éste es hermano, o primo, o algo —dijo el viejo—. Por eso me animé a venir. Usted es pariente del hombre que vive acá, ¿no?

—Vivía. Sí, soy el hermano.

—¿Vivía? ¿Qué le pasó?

—Lo mataron en el Chaco.

Al viejo le empezaron a caer unas lágrimas gruesas por las mejillas. Sacó un pañuelo del bolsillo de atrás del pantalón y se lo pasó por la cara.

—Perdone —dijo—, tuve un acv hace dos años, y lloro por cualquier cosa.

—¿Un 3CV?

—Un acv. Accidente cerebro vascular.

Cetarti lo hizo pasar. Sacó dos de las sillas de plástico y le ofreció una al viejo. El viejo se sentó pero dijo que se quedaba un ratito nomás. Cetarti le preguntó si conocía a su hermano. El viejo le contestó que sí. Que hablaban a veces. Cetarti le preguntó de qué hablaban.

–El tiempo y esas cosas. No era una persona muy dada. Hablaba siempre muy serio, como si estuviese ocupado en algo importante.

El viejo le contó poco más: su hermano no era nada molesto. Pasaba el día adentro y salía de noche, generalmente en la bicicleta, y traía cosas.

–Llegaba tarde, dos o tres de la mañana, con bultos y cosas en el canasto de la bicicleta. Yo lo veía siempre porque tengo insomnio, y mientras no duermo miro por la ventana. Así lo vi a usted.

Cetarti se removió, un poco espantado de saber que el viejo, probablemente en calzoncillos y camiseta, lo había estado viendo todas estas noches. Lo espantaba especialmente el detalle de los calzoncillos y la camiseta.

–Lo único que recuerdo haberlo visto de día fue un par de veces que salió para tirarle cascotazos a unos perros que estaban haciendo lío. Usted vio que el barrio en general es silencioso. Los mugidos del matadero molestan a veces. Una Navidad mi señora me mandó para que le traiga un poco de pollo con ensalada de papas, y pan dulce. Me agradeció mucho. Y me mostró un cajón con bichos, que tenía... –El viejo volvió a secarse las lágrimas, un poco moqueando.

–¿Y usted acá qué hace?

Cetarti sintió como que de repente se hubieran callado todos los ruidos y la pregunta hubiera caído sobre el piso, rebotando pesadamente contra las baldosas.

–Estoy limpiando la casa.

–Por las dudas, no se ilusione con venderla. Nin-

123

guna de las casas de este plan tiene escritura, no se pueden vender.

El viejo le preguntó qué hacía su hermano en el Chaco. Cetarti le dijo que no sabía, que le habían avisado ya para los trámites. El viejo asintió con la cabeza como absorbiendo el concepto. Se levantó de la silla apoyando las manos en las rodillas durante el movimiento. Las rodillas le crujieron como rulemanes rotos.

—Bueno, no lo quería molestar, pasé para ver si su hermano estaba bien. Lo que pasa es que hablamos con mi mujer y me dijo que viniera a averiguar. Ella estaba un poco preocupada. Ahora cuando le diga se va a poner mal.

Esa noche, cuando se sacó las zapatillas en la oscuridad y frente al televisor, notó que la luz cambiante de la pantalla pasaba a través de una rendija en la suela de la zapatilla derecha. Estaba un poco descalzo al tocar el cemento electrificado, por eso había recibido la descarga. Se durmió temprano y soñó que le quería preguntar a Gómez si su hermano alguna vez le había contado algo de él. Pero lo único que le salía de la boca eran unos garabatos que caían al piso. Como si hablara en un idioma muy extranjero, escrito con unas letras de caligrafía desconocida.

28

Es el 20 de noviembre de 1917, día de la batalla de Cambrai. La flota de tanques del general Douglas Haig enfrenta su mayor obstáculo: trincheras antitanque de cinco metros de ancho. El avance se detiene. Usted es el general Haig, ¿cómo hará para atravesar las trincheras? ¿Las evitará y buscará otras áreas para cruzar? ¿Las rellenará con tierra para poder cruzarlas? ¿O construirá puentes utilizando arbustos? La respuesta en el próximo bloque de Decisiones Comando *por* History Channel.

Danielito descartó rellenarlas de tierra por lo complicado, pero entre las otras dos no estaba muy seguro. Apostó por la segunda opción, pero al regreso de comerciales se le informó de su error: *La pérdida de tiempo que implica el rodeo a ciegas en busca de otro punto de penetración es un lujo que Haig no podía permitirse. Tapar las trincheras impediría su uso posterior por parte de los británicos. De manera que la opción elegida es la tercera. Armar puentes compactando arbustos abundantes en el lugar es una solución rápida y sencilla.*

Los tanques de Haig cruzan con relativa facilidad y a las 8 de la mañana la línea Hindemburg es penetrada.

Si hubiera sido por él, los ingleses se quedaban sin trincheras. De todas maneras, después los alemanes reconquistaron rápidamente el territorio ganado, así que no hubiera servido de nada. Es más: si las hubiera tapado con tierra, se dio cuenta, a la larga inutilizaba las trincheras para los propios alemanes. Bajó al sótano a retirar la bandeja con el almuerzo, la señora estaba dormida. Después espió al patio por la ventana: Torito estaba tirado en el piso y la perra, tambaleantemente parada, le olfateaba el ojo vendado. Sonó el teléfono, atendió Danielito. Era su madre. Le dijo que se acababa de comer dos cajas de Brumoline y que iba a reventar. Le dijo que se cuidara de los perros, que eran animales malos.

29

El informe en la antesala de terapia intensiva fue el mismo que a las cuatro de la tarde: el estado de su madre era estable pero reservado, con respirador artificial, y era imposible evaluar por el momento el daño neuronal, que era muy probable. Le habían lavado el estómago pero el sistema nervioso había sido casi seguro afectado por las hemorragias internas (el anticoagulante del raticida). Había recibido dos litros y medio de sangre en ocho horas. Para dejarlo entrar a la sala, le hicieron poner una bata, gorro y barbijo celestes (la bata le quedaba chica). En ese momento, su madre era la única ocupante de la sala. Tenía la cara oculta atrás de una mascarilla verde, a través de la cual se podía ver el tubo anillado del respirador metido dentro de la boca. Tenía las manos atadas con correas a los costados de la cama y en cada antebrazo había clavada una aguja. De debajo de las sábanas se veían salir otros tubos. Encima de todo eso, los cables con electrodos de monitoreo. Se sentó en una silla que había al costado. Juntó las manos de tal manera que sólo se tocaran las puntas de los dedos. Estuvo un rato mirándose las manos. Cada tanto las movía sin separarlas, y cada nuevo ángulo parecía aportar algo distinto. Luego volvió a mirar a su madre. Después recorrió la sala de terapia: había nueve camas vacías. Debido al aire acondicionado, la temperatura era agradable. Para probar qué se sentía, se acostó en una de las camas vacías. Se durmió instantáneamente. Un rato más tarde lo despertó una enfermera, que le dijo de bastante mala manera que no podía estar ahí. Danielito pensó que podía quedarse un año, pero no quiso discutir.

Llamó por teléfono a Duarte y le avisó que iba a tardar un rato. Que iba a dar una vuelta. Manejó hasta cerca del centro. Estacionó y fumó medio porro adentro del auto, y después salió a caminar. Dio un par de vueltas por los dos locales de juegos electrónicos que había en Lapachito, para entretenerse mirando las lucecitas.

Volvió a su casa a las nueve y media de la noche. Duarte tenía los ojos rojísimos y lo saludó con un movimiento de cabeza. Estaba hablando por teléfono.

—Ah, no, claro, es poquísimo..., bueno mire, usted manejesé para conseguir la plata, nosotros paciencia le tenemos, pero vio cómo es esto, las situaciones no se pueden estirar indefinidamente... Nosotros a su mamá la cuidamos, pero es una mujer grande, va a estar mejor en su casa que acá, y sin tanto nervio ni para ustedes ni para nosotros.

Duarte escuchó una respuesta del otro lado.

—Todo bien, como le digo usted manejesé. Lo que también le digo es que cuanto más tiempo tarda este tema, más fácil es que lleguemos a un momento en que las cosas se vayan de las manos. A su mamá la cuidamos porque nos conviene a todos y porque sabemos que usted no hizo ningún movimiento raro, pero la guita no llega a estar y esta pobre mujer aparece en una zanja con el culo bien roto y un tiro en la nuca, ¿nos entendemos? Y va a ser culpa suya, porque usted es el que tiene la llave de la cosa. Póngase las pilas. Su mamá está bien, no somos monstruos, pero póngase las pilas.

Duarte cortó y saludó a Danielito.

—Efectivamente, está demorando a propósito. Tendríamos que haber hablado antes con la vieja, nos hubiéramos ahorrado tiempo.

—¿Por qué?

—Aparte del campo y la casa en Makallé, estos hijos de puta tienen doscientas hectáreas cerca de Villa María, en Córdoba. Y una caja de seguridad con cuatrocientas lucas en el Banco Provincia de allá. A nombre de la vieja únicamente. La vieja me dijo que ella me acompaña a buscarlas incluso, vos la vieras. Está hecha una sedita.

Danielito no dijo nada.

—Sí, claro, no es así nomás... —dijo Duarte, que le leyó la cara—, pero creo que se puede hacer. Voy a hacer unos llamados. Tu vieja cómo está.

—Sigue con respirador. Dicen que hay probable daño neuronal. Puede morirse en media hora o el año que viene. O despertarse y no tener una o más funciones cerebrales. Incluso despertarse y estar perfecta.

—¿Y qué tomó?

—Dos cajas de Brumoline.

—Y esas pastillas de qué son.

—No son pastillas, es raticida.

—Aaah, qué boludo. Me sonó a pastillas de algo. Así que raticida. Es tremenda, eh, la ataca un dogo y ella lo termina cagando a palos, se clava dos cajas de veneno para ratas y no se muere... Tu vieja es como Chuck Norris, pero mala onda. No la tendrías que haber salvado. Ahora te va a quedar toda paralítica y vas a tener que darle de comer con cuchara y lavarle el orto cada vez que se cague. La hubieras dejado que palme.

Cuando Danielito bajó a llevar la cena (hamburguesas con puré), el aire estancado estaba espeso y con olor a una mezcla de porro, esperma y jabón, rastros de la visita de Duarte a la señora. Duarte la había limpiado, pero eran evidentes los golpes y pequeños tajos en la boca y arcos superciliares. En el resto del cuerpo también la había castigado y algunas partes estaban empezando a hincharse.

30

El día que terminó con el garaje, Cetarti agregó a la treintena de objetos que había agrupado en el living: una bolsa grande con VHS de películas porno (títulos: *Cream Rinse, Cum Scouts, Fire Hole, Flesh Mountain* y otros. Una decena de los videos tenía el mismo diseño de caja negra y título *Private* en dorado), dos estufas a cuarzo funcionando, dos ruedas de auto completas (llantas, cámara y cubiertas algo gastadas), un pequeño mueble biblioteca y dos pares de muletas. Después barrió puntillosamente y lavó los pisos de toda la casa con lavandina y desinfectante, incluyendo la galería donde se amontonaban los papeles y cartones: barrió todo menos la pila de cáscaras de mandarina. Ordenó también las módicas instalaciones de la cocina. Se bañó y se puso una muda de ropa limpia, lavada con jabón de tocador. Prendió el televisor y fumó un porro mirando un documental sobre el accidente nuclear de la planta de Three Mile Island en 1979. Se durmió en medio de una cronología de las reacciones físico-químicas sucedidas dentro del reactor, que no estaba entendiendo mucho. Despertó cuarenta y cinco minutos más tarde, con hambre. Eran las seis y media de la tarde. No quería salir por miedo a encontrarse a Gómez en la vereda. Comió dos porciones de pizza sobrantes de la noche anterior, con los restos tibios de una botella de Coca-Cola. Se mojó la cara y el pelo y salió al patio. Se sentía en cierta manera alivianado. Miró fijamente las cáscaras de mandarina: imaginó la cantidad de horas masticando mandarinas que significaba esa pila de cáscaras. Era una cantidad con posibilidades elásticas: se podía masticar pensativamente y mirando la nada, o con rapidez operativa. Podían ser seis horas de masticar mandarinas. O veinte.

A la noche, fumado a medias el quinto porro de la jornada, sacó las últimas once bolsas grandes de basura. Para cenar compró una pizza entera (especial con anchoas) y un litro de cerveza en la rotisería de siempre. De postre compró flan casero. Comió casi todo: tres cuartos de la pizza, el porrón de cerveza entero y el flan. Era la primera vez en mucho tiempo que comía tan abundante y eso hizo que durmiera mal y volviera a tener variaciones de la misma pesadilla lenta donde le volaban la cabeza de un escopetazo. A la madrugada se despertó para una secuencia de vómitos que remató con dolorosas arcadas en vacío y escupitajos de bilis. Se sintió mejor pero no se pudo volver a dormir. Fumando leyó por enésima vez la doble página de *Muy Interesante* y le dio de comer al ajolote. Miraba los leves movimientos de la pequeña salamandra o larva de salamandra en un medio mucho más denso que el aire. Imaginaba a los grandes cefalópodos flotando en la negra profundidad del agua helada, moviéndose lentamente. Fue a buscar la enciclopedia de Jacques Cousteau y recorrió medio centenar de fascículos hasta encontrar algo sobre fauna abisal. Al calamar gigante le dedicaban una página con más fotos que texto. Las fotos mostraban cadáveres de calamares sobre largas mesas de laboratorio, con hombres de guardapolvo inclinados sobre ellos, separando tejidos con bisturíes y herramientas de disección. Se enteró de detalles anatómicos (el Architeuthis está equipado con las células nerviosas más largas y los ojos más grandes del reino animal. Tiene tres corazones y dos cerebros, dos brazos y ocho tentáculos) y nada más: no era lo que estaba buscando.

Después de volver a dormirse, soñó que estaba en un bote, en el medio del mar. Estaba todo muy oscuro, pero él sentía el tacto oscilante del bote y el ruido del agua lamiendo la madera. Una luz leve se acercó desde abajo. Era su hermano, que subía desde el fondo. Se asomó a la superficie y rodeó nadando el bote. Se movía sigilosamente, tocaba el bote con movimientos cautelosos, como si estuviera explorando un objeto venido de otro mundo. Dio un par de vueltas alrededor y así como vino se fue, hundiéndose en lo profundo de una manera que Cetarti, en el sueño, entendió como definitiva.

133

31

Se había agregado otro paciente a terapia intensiva, pero no lo pudo ver porque estaba oculto por una cortina y en la otra punta de la sala. Había una persona a su lado, y hablaban en susurros. Danielito dedicó bastante del tiempo que pasó sentado junto a la cama de su madre a tratar de descifrar el contenido de la conversación, sin poder sacar gran cosa en claro. Salió del hospital con muy pocas ganas de volver a su casa. Subió al auto y manejó saliendo del centro. Cuando llegó a las calles de tierra estacionó y se bajó a caminar, encarando para el lado que se iba raleando de casas. Llegó hasta una pequeña represa, la visión del agua le pareció relajante y caminó por la orilla hasta encontrar un lugar cómodo para sentarse. No había nadie, salvo unos chicos pescando a un centenar de metros, sobre la orilla opuesta. Sacó un porro del bolsillo y le dio fuego. Durante un rato se concentró en el progreso de la pesca de los chicos. Uno pescaba con mojarrero, y el otro tiraba con línea de flote, más hacia lo hondo. Usaba la línea enroscada en una lata desfondada de duraznos al natural. Estaban teniendo suerte, el chico del mojarrero sacaba a cada rato, y la boya de la línea mostraba pique. Cada tanto el chico traía el anzuelo vacío para volver a encarnar. Tiraba siempre al mismo lado, y era probable que en cualquier momento enganchara algo. Después de un rato y la mitad del porro, el paisaje y los pensamientos se le difuminaron agradablemente y entró en un suave sopor contemplativo que fue quebrado por el sonido del celular. Lo llamaban del hospital para avisarle que su madre había muerto. Dijo que salía para allá. Colgó el teléfono y volvió a prender el porro.

—¿Nos convida, don?

Eran los dos pibes que pescaban en la orilla opuesta, que en algún momento habían juntado sus cosas y se le habían acercado. Debían tener doce o trece años. Danielito dio una pitada y le alcanzó el cigarrillo al más grande, el pibe fumó y se lo alcanzó a su compañero.

—¿Qué sacaron?

Los chicos tenían un balde de plástico sin agua, con una treintena de mojarrones muertos pegados al piso y a las paredes, y un moncholo bastante grande que todavía respiraba, agonizante. Las branquias se abrían lentamente y se cerraban de golpe.

—Es una tortura, pobre bicho. Pónganle agua.

—Si se va a morir lo mismo —contestó el más grande. Tenía razón. Aparte el pescado estaba muriendo por falta de oxígeno, sin sufrimiento. El más chico dio otra pitada y le pasó el cigarrillo, el más grande volvió a fumar y se lo pasó a Danielito. Danielito fumó una vez más y les regaló lo que quedaba. Los chicos le agradecieron.

Más a la noche, estaba en el patio de su casa con Duarte. Duarte había terminado de salar unas costillas y limpiaba la grasa de la parrilla, derretida por el fuego que estaba casi a punto. Se iluminaba con una lámpara portátil de ciento veinte watts, alrededor de la cual revoloteaba una decena de insectos (incluido un par de cucarachas del agua bastante grandes) describiendo órbitas irregulares. Tenía los ojos rojísimos del porro y de mirar de cerca el fuego. Duarte fue hasta la cocina y trajo una bandeja con cerveza y dos vasos, un pedazo de queso, medio salamín y pan. Cortó el queso en trozos y feteó el salamín a cuarenta y cinco grados. Armó un pequeño sándwich y se lo pasó a Danielito.

–Y con las cenizas qué vas a hacer.

Durante la tarde, Danielito había hecho los trámites primero en el hospital y después en la funeraria de manera que ellos se encargaran de todo. Había quedado en retirar las cenizas del cementerio al día siguiente, pasadas las dos de la tarde, y la verdad no había pensado más en el tema.

–Las voy a dejar en la casa de ella.

–Muy bien. Tuve miedo de que te las quisieras llevar a tu casa.

A Danielito un escalofrío potente le recorrió el cuerpo. Duarte lo vio estremecerse y sonrió. Agarró las tiras de carne, un par de chorizos y una morcilla grande y las ordenó sobre la parrilla. Después se limpió las manos con un trapo.

—Che, ¿y no dejó nada?

—Cómo nada.

—Y, qué sé yo, una nota, algo por el estilo.

—No, nada.

—Qué mujer dañina. Con todo respeto, me parece muy positivo para vos que se haya muerto.

—Ella no lo quería mucho a usted, tampoco. Decía que mi papá antes era bueno.

—Antes de qué.

—Antes de conocerlo a usted.

—A tu viejo lo conozco de la escuela de suboficiales, qué boludeces dice, ella lo conoció, no sé, casi quince años más tarde. Qué es, vidente. Qué sabe cómo era antes.

—Dice que usted lo arruinó porque con usted hizo todas las cosas que lo dejaron mal.

Duarte se rió.

—Claro, eso, pobre tu viejo, que era un divino antes de conocerme. Ella porque debe haber sido una influencia superpositiva. Vos sabés que yo me imaginaba que un día la ibas a ir a ver a terapia intensiva y la ibas a encontrar parada ahorcando al respirador artificial. Estrangulándolo, así con las manos.

Se rieron sin mucha estridencia. Duarte destapó la cerveza con el lado grueso del cuchillo parrillero y sirvió dos vasos. Le alcanzó uno a Danielito y chocaron los vidrios en un brindis silencioso. Una enorme cucaracha de agua aterrizó cerca de la parrilla. Golpeó fuerte contra el piso y quedó patas para arriba. Con las pinzas y las patas hizo palanca contra el cemento y se incorporó. Caminó torpemente, acercándose a los pies de Duarte. Éste la miró interesado, el insecto medía más de ocho centímetros y podía estar pesando más de treinta gramos.

—Parecen prehistóricos estos bichos.

Aplastó a la cucaracha con un pie, pero llevaba puestas ojotas con suela de goma blanda que no lograron quebrar las jurásicas placas de quitina. Algo maltrecha, la cucaracha salió caminando.

—Claro, mirá, no le hice nada. Vos sabés que en Fontana, en Formosa, con tu viejo hemos visto cucarachas de agua más grandes que ésta, así de grandes —dijo, apartando el pulgar y el índice de la zarpa izquierda para indicar una longitud de doce o trece centímetros—. Una vez estábamos a la siesta en el monte, al costado del río, y vimos una que se estaba comiendo una mojarrita. Una mojarrita chica, ¿no? Pero daba impresión lo mismo. Esa noche incluso soñé que una cucaracha me comía la mano. Lo que pasa es que ahí es casi el trópico.

—Mi papá me contaba que en el monte había arañas que comían pajaritos.

—Yo nunca vi, pero escuché eso en alguna parte. En Centroamérica hay arañas que comen ratones, así que puede ser. Lo que sí vimos con tu viejo es una lampalagua enorme, no sé, como diez metros tenía. Se había comido un chanchito.

—Y cómo sabían.

—Qué cosa.

—Lo que había comido.

—Porque la abrimos. Tengo fotos de eso.

La cucaracha se había corrido medio metro. Duarte agarró la palita de manejar carbón y se le acercó. La inmovilizó apretando la parte posterior del cuerpo con la ojota y apoyó el filo de la pala en la parte posterior de la cabeza. Apretó con fuerza hasta convertir el cuerpo de la cucaracha en una especie de ángulo con vértice en el filo: el lado de la cabeza era muy cortito y el otro desproporcionadamente largo. Retiró la palita, el cuerpo conservó la forma, todavía movía las patas como haciéndole señales a algo que estaba unos metros por debajo. O por lo menos eso le pareció a Danielito, químicamente predispuesto a interpretaciones raras.

—Es raro, ¿no?

—Qué cosa.

—Que haya cucarachas de agua a estas alturas del año. Y hace calor, también. Ya tendría que estar refrescando aunque sea un poco.

32

En el patio, parado en cueros al lado de la pila de cáscaras de mandarina, Cetarti miraba el cielo. Pensaba en que ya no debería estar haciendo tanto calor a estas alturas del año, que tendría que estar empezando a refrescar. Este repentino apercibimiento del paso del tiempo estaba un poco emparentado con que a la tarde se había dado cuenta de que le quedaba muy poca marihuana (al ritmo que llevaba, para menos de diez días), pero también con una extraña sensación de desasosiego que lo había empezado a invadir en la mañana: se había levantado inquieto y se había parado frente al amontonamiento de objetos y se había quedado mirándolo durante un rato largo, como si el conjunto formara un mensaje cifrado que de pronto pudiese cobrar sentido ante sus ojos como reconocimiento a su esfuerzo. Ahora, pasadas las tres de la tarde, miraba el cielo casi de la misma manera y pensaba en su hermano. Conocía nítidamente dos extremos de su vida: la foto de ellos parados en la plaza y las fotos de la policía donde aparecía muerto. Entre esos extremos había una existencia nebulosa a la que Cetarti en estos días se había aproximado: podía imaginarse a su hermano pedaleando lentamente en la bicicleta, revolviendo contenedores y bolsas de basura por las noches. O recorriendo los estrechos pasillos entre las pilas de basura de su casa, agregando o quitando cosas. Mirando el ajolote en la pecera, o los insectos muertos del último cajón del ropero. O tirándoles cascotes a los perros. Todas estas imágenes aparecían en la mente de Cetarti con el misterioso borroneo de esas fotos de Pie Grande, tomadas siempre de lejos y que suelen mostrar una criatura peluda, de espaldas y entrando a un bosque.

El día siguiente lo ocupó haciendo infructuosas llamadas por teléfono y recorriendo barrios (Bella Vista, Cardenal Aramburu, Villa Páez), tratando inútilmente de comprar porro. Recogió diferentes versiones para el desabastecimiento: que había inundación en Paraguay, o sequía, que Gendarmería estaba haciendo operativos, que había pero no lo movían para subir el precio. Todas coincidían en que no había ni se sabía cuándo iba a volver a circular, pero que seguro no iba a ser ni mañana ni pasado. A las cinco y media de la tarde, con el sol cayendo mientras salía de un pasillo de Villa Libertador, decidió que la cosa no daba para más. Volvió en colectivo al centro y de ahí caminando a barrio Hugo Wast. Unas cuadras antes de entrar al barrio vio una chacarita de compraventa y pasó a consultar: explicó más o menos las cosas que tenía en su casa. Le preguntaron si las traía él. Contestó que no,

141

que era mucho bulto y no tenía en qué. Acordaron que al otro día por la mañana pasaban a mirar.

Cuando llegó a su casa sintió un gran alivio al sacarse las zapatillas, tenía las manos y los pies hinchados. Se duchó con agua fría y se tiró a mirar televisión: primero estuvo un rato con un documental sobre escorpiones gigantes del silúrico, pero después se puso a cambiar canales no porque estuviera aburrido sino porque estaba pensando en otra cosa y no podía concentrarse en nada. Esa «otra cosa» tampoco era muy fácil de identificar. Pasado un tiempo importante se levantó y echó alimento sobre la pecera del ajolote. Armó un porro y se sentó en el patio a contar plata y sacar cuentas. Ya había oscurecido. Le quedaban catorce mil setecientos pesos y algo de cambio. Ató la plata con dos banditas elásticas. Extrañó el auto. En ese momento, le hubiera gustado salir a la ruta sin un plan específico. Derivar por el sistema nacional de rutas fumando esta marihuana que le quedaba, parando sólo en estaciones de servicio para cargar nafta, lavarse y comer. Tuvo un recuerdo agradable de los insectos impactando contra el parabrisas, segundos después de ser iluminados por el auto. Dormir al costado del camino. Dejarse llevar. Estrellarse contra algo en la ruta, a última hora de la tarde. Volvió a la cocina, apagó el televisor y se quedó en la oscuridad, iluminando la pecera con la portátil y mirando al ajolote. Después de un rato optó por una opción intermedia y se fijó en la hora: las diez y veinte de la noche. Buscó entre sus papeles el teléfono de Duarte, se puso las zapatillas y salió con rumbo a la avenida, a buscar un locutorio.

33

En la vereda, Danielito se dio cuenta de que el escándalo que armaban los perros efectivamente se escuchaba mucho más desde afuera que de adentro de la casa. Los dos policías se despidieron con un apretón de manos, subieron al patrullero, apagaron las balizas y se fueron. Danielito volvió adentro de la casa y buscó debajo de su almohada. Sacó la pistola de su padre, la montó y abrió unos centímetros la puerta del patio. Los perros se abalanzaron contra él, Torito trató de meter la cabeza por el hueco ladrando y tirando mordiscos, apoyaba la herida del ojo contra el borde sin que pareciera dolerle y hacía fuerza para entrar. Danielito con una mano apretó la puerta para impedírselo y con la otra apoyó la pistola en la cabeza del perro y disparó. El perro se aflojó instantáneamente, y por unos instantes estuvo sostenido sólo por la presión que ejercía Danielito con la puerta contra la cabeza. Ante el estampido la perra se corrió, sin dejar de ladrar, al rincón opuesto del patio y ahí lo esperó en posición desafiante. Danielito no se animaba a un cuerpo a cuerpo, podía salir lastimado. Desde atrás de la puerta alineó trabajosamente el alza y el guión con el cuerpo de la perra y disparó de nuevo. A pesar de tener los oídos silbando por los dos tiros, alcanzó a sentir el impacto de la bala entrando, un golpe como el de una piedra cayendo dentro de agua (o tal vez no agua sino algún fluido más espeso). Del vientre tenso de la perra saltó un corto escupitajo de sangre. Los ladridos se hicieron peores, más largos y lastimeros. Había dejado de prestarle atención y rengueaba como alrededor de algo, tratando de mirar la herida. Danielito se acercó con cuidado y ya a distancia segura le tiró a la cabeza. La perra se desparramó sobre el suelo y se calló, pero no estaba muerta del todo. Parpadeaba mirando lo que podía, que (supuso Danielito a partir de la posición en la que había caído) sería un amplio campo de baldosas giradas noventa grados y tal vez algo de sus zapatos, que no se verían como desplazándose de un lado a otro, sino como si subieran y bajaran. Entró a la casa y buscó bolsas de consorcio y cinta de embalar. No había terminado de embolsar la cabeza de Torito cuando sonó el timbre. Era Duarte, estaba pálido, le preguntó qué pasaba que había estado la policía.

—Llamó el vecino del lado del patio porque los perros se volvieron locos y estaban ladrando mucho —contestó Danielito—. Pero está todo bien. Ya hablé con el vecino también, la conoce a mi mamá, no hay problema.

—Y qué les dijiste.

—Medio la verdad. Que eran perros de mi mamá y que estaban nerviosos porque no estaban en su casa. Les dije que les acababa de dar sedantes con la comida y que había que esperar a que les hicieran efecto. Duarte se aflojó un poco. Le contó que estaba llegando y había visto el patrullero en la puerta y se había cagado en las patas, que dio un par de vueltas después de que vio que se iban solos, y había estacionado el auto a seis cuadras, por las dudas.

—¿Los policías entraron?

—Sí, pero los hice pasar por el pasillo del garaje para que vieran a los perros. Uno me pidió que le guarde cachorros, cuando tuvieran. Me dio el teléfono y todo.

—Y a los perros qué les pasa.

—Son las pastillas. Les di de las que me dio mi mamá cuando me los traje, es la misma monodroga pero les hizo como otro efecto y se pusieron como locos. No se podía salir al patio.

—No están ladrando ahora —dijo Duarte. Danielito le explicó que acababa de matarlos. Condujo a Duarte al patio para una ligera inspección y un relato más detallado.

—Y de dónde sacaste un arma vos.

—Es la pistola de mi papá.

—¿No era que tu vieja había quemado todo?

—Sí, pero me quedé la pistola.

Mientras Danielito terminaba de embolsar los perros, Duarte bajó al sótano. Danielito armó con los cuerpos, la cinta y las bolsas dos bultos sólidos y apretados, funcionales para ser llevados. Gastó casi un ro-

145

llo de cinta. Después limpió la sangre de las baldosas con una manguera y lampazo. Cuando estaba secando apareció Duarte por la puerta del patio y le pidió que lo ayudara. La vieja estaba parada en el living, vestida con un jogging celeste. Estaba con los ojos vendados y amordazada y con las muñecas atadas a la espalda. Duarte le pidió a Danielito las llaves del auto.

—Están puestas.

Los tres fueron hasta el garaje. Adelante iba la señora, guiada por Duarte con las manos en los hombros y expresiones como «cuidado mamita con el escalón». Duarte sacó las llaves del auto y abrió el baúl.

—Ahora ponete durita, mamita, que te vamos a subir al baúl.

La vieja obedeció y la acomodaron sobre unos cartones.

—Ahí está.

Duarte le ató los pies con un precinto y cerró el baúl sin ninguna suavidad. Le dio a Danielito las llaves de su auto, le indicó dónde lo había dejado y le dijo que a la siesta, tipo dos y media de la tarde, se lo llevara a su casa.

—A las dos tengo que ir a buscar las cenizas de mi mamá, capaz que tardo un poco.

Duarte le dijo que no había problemas pero que no metiera la pata, que esto de los perros ya había sido una boludez. Se metió en el auto y arrancó el motor. Danielito le abrió el portón. Cerró después de que se fue Duarte y se sentó a fumar porro y mirar televisión. Miró un documental sobre puentes colgantes y tecnología de cables de acero y otro muy interesante sobre el hundimiento del acorazado *Bismarck* en mayo de 1941. Almorzó a las doce exactas: una botella de cerveza y ravioles con pollo. Antes de salir para el cementerio, estacionó cinco minutos la camioneta frente a su casa y cargó los perros en la parte de atrás. Estuvo puntualmente en el cementerio, le entregaron las cenizas en una caja de madera terciada y con el sello pirograbado «Municipalidad de Lapachito» en la tapa. Manejó hasta la casa de su madre. Abrió la puerta del garaje y bajó los perros y las cenizas y los dejó con aprensión del lado de adentro, pero junto a la puerta. Los bultos estaban más duros, más allá de lo bien que los había empaquetado. Volvió a cerrar la puerta, subió a la camioneta y a las tres menos cuarto llegó a lo de Duarte.

La señora estaba dormida en un colchón de la segunda habitación de la casa, con los ojos vendados y atada de pies y manos. Duarte la había dopado para moverse tranquilos, y le pidió que lo ayudara a asegurar un poco la habitación. Trabajaron un rato largo. Duarte sacó el colchón de su cama y lo apoyó contra el medio de la pared que daba a una casa contigua. Movieron también un ropero grande de algarrobo y lo apoyaron con las puertas contra el colchón. Sacaron el resto del mobiliario al living haciendo el menor ruido posible y dejaron la habitación pelada. Duarte se arrodilló en el colchón al lado de la señora, le sacó las ataduras y pasó crema por las marcas, friccionando untuosamente la piel. La señora se dejaba hacer, inconsciente y con los músculos flojos y sin respuesta.

147

Danielito salió afuera, fue hasta el living y se puso a mirar televisión. Al rato lo llamó Duarte, desde la puerta de la habitación. Había vendado las muñecas de la señora y la había vuelto a atar aplicando los precintos sobre las vendas. También la había amordazado de manera que no pudiera hablar pero sí respirar cómodamente. Duarte le mostró la llave de la puerta y le enseñó cómo cerrar y abrir, porque la cerradura tenía un pequeño juego. Le dijo que él se iba a Resistencia ahora, pero que calculaba que para la noche estaría de regreso, que cualquier cosa lo llamaba. Danielito pasó la tarde fumando porro y mirando televisión, de vez en cuando se levantaba para echarle un vistazo a la señora, o se colgaba mirando los avioncitos de Duarte en las vitrinas.

Duarte volvió a las nueve menos cuarto, de bastante buen humor. Había comprado comida, para ellos milanesas de pollo a la napolitana y papas fritas, y merluza con puré para la señora. Le preguntó a Danielito si la mujer estaba despierta. Danielito le contó que la última vez que había mirado se movía un poco, pero no como si estuviera despierta, sino más bien como si estuviera soñando.

—Ok, le doy de comer yo, después.

Sacó una cerveza de la heladera y se sirvió un vaso. Le ofreció a Danielito pero no quiso. Comieron directamente de las bandejitas de plástico y tomando del pico de las botellas (Danielito prefirió Coca-Cola), mirando un documental sobre las batallas aéreas entre cazas israelíes y jordanos en junio de 1967, con reconstrucciones por computadora bastante realistas. Duarte terminó su milanesa, se desparramó sobre un sillón y prendió un porro. Más lento para comer, Danielito terminó primero las papas fritas y se hizo un sándwich con lo que quedaba de su milanesa. Tenía sueño y ganas de bañarse. Le dijo a Duarte que se iba.

—Aguantame un poco, que no me puedo mover y tengo que abrirte el garaje. Dame quince minutos. Alcanzame el control.

Danielito le acercó el control remoto y Duarte cambió a Animal Planet, estaban dando un programa sobre serpientes del Chapare boliviano.

—Ah —dijo señalando arriba de un estante—, ahí están las fotos de la lampalagua que encontramos con tu viejo.

Danielito fue hasta el estante y agarró un fajo de fotos viejas, en blanco y negro. La primera mostraba a cinco hombres que alzaban el cadáver de una lampalagua de casi seis metros de largo. Tres de los hombres estaban con uniforme del ejército, los otros dos vestían mamelucos de vuelo, sin tiras de grado a la vista: uno era Duarte y el otro era el padre de Danielito. Su padre miraba para abajo, como evaluando la textura de la piel de la víbora, o algún detalle por el estilo.

—La pasamos por arriba con una de las camionetas, primero pensamos que era un caño. Atravesaba el camino, no se veía ni la cabeza ni la cola. La camioneta no le hizo nada, la tuvimos que matar de un tiro.

Otras fotos documentaban la apertura del estómago de la lampalagua, del que efectivamente habían extraído un lechoncito entero.

149

—Y con el lechoncito qué hicieron.

—Nada, qué vamos a hacer, capaz que se lo había tragado un par de días antes. Lo tiramos, no lo íbamos a comer.

También había una foto de Duarte y su padre bajo el ala de un Cessna Skymaster pintado de gris y sin matrícula a la vista, con la puerta del copiloto removida. Estaban apoyados en el montante del ala, de vuelta con los mamelucos de vuelo y anteojos Ray Ban. Sonó el teléfono, Duarte se levantó para atender.

—Eh, que hacés pibe, qué tal.

Esas fotos estaban sueltas, puestas arriba de un sobre manila. Miró adentro y sacó otras fotos del mismo tamaño y textura que las anteriores, aparentemente reveladas del mismo rollo. Eran las típicas fotos de registro de instalaciones y equipamiento: calabozos, camionetas, una sala de reunión. Eran fotos de operativos rurales, con la mayoría de los milicos vestidos de civil. En una, de fondo se veía una camioneta cosida a balazos. Entre el guardabarros y el comienzo de la caja, que era la porción que se veía, Danielito contó nueve agujeros de un calibre muy grueso. Su padre estaba en cuclillas, descansando sobre la rodilla el brazo derecho con la pistola (la misma pistola con la que él acababa de matar a los perros) en la mano. A su lado había tres personas acostadas, cuyas caras habían sido tapadas con líquido corrector. La última había sido sacada evidentemente de noche: una escena congelada en el fogonazo del flash. De vuelta estaban en el Skymaster. La puerta removida permitía ver el interior del avión. Su padre estaba serio en el asiento del piloto, chequeando los instrumentos. En el asiento de atrás, Duarte miraba a cámara pero sin posar, como si lo hubieran llamado antes de apretar el obturador. Danielito puso las fotos en su lugar y las devolvió al estante. Se quería ir, pero Duarte seguía hablando.

—Escuchame una cosa, me llamás justo —le dijo Duarte al del otro lado de la línea—, vos sabés que justo yo creo que tengo que andar con una gente por allá..., capaz que me conviene llevártelo y hacemos negocio, porque a lo mejor necesito un favor tuyo.

En la televisión, una serpiente arborícola del Chapare boliviano engullía los huevos de un nido de urracas.

—¿Vos tenés un teléfono para que yo te ubique? ...Ah, bueno, no, entonces llamame de nuevo mañana y ahí ya voy a saber bien qué hago. Al mediodía, llamame. Tipo una, una y media, ponele.

34

Inmediatamente después de hablar con Duarte, Cetarti se sintió un poco decepcionado. En el camino al locutorio se había ilusionado con la idea de pasar unas horas en la ruta. Había pensado en que, de tener que volver a Lapachito, iba a tratar de conseguir un colectivo que parara en varios pueblos. Tenía ganas de ir en el primer asiento del segundo piso, mirando pasar las franjas de la ruta. Bajarse a la madrugada en terminales de pueblo que imaginaba desiertas, o en estaciones de servicio. De regreso a la casa de su hermano pensó que lo importante era que había conseguido porro y la posibilidad de un poco más de plata y que, en el peor de los casos, la cosa se dilataba un par de días. Después podía ir a donde quisiera, con la única limitación del dinero disponible.

A las diez de la mañana del otro día vinieron dos hombres de la chacarita en un camioncito. Por las cosas del living (antes de acostarse, a la noche Cetarti había separado la bolsa con películas porno) le ofrecieron doscientos cincuenta pesos, y por los papeles, cartones y botellas, ciento ochenta. Aceptó sacando la cuenta: cuatrocientos treinta pesos. Los llevó a la cocina y les preguntó cuánto le daban por la heladera y el roperito. Otros trescientos pesos. Le dijeron que si quería, por el televisor le daban ciento cincuenta. Cetarti les dijo que no estaba en venta. Mientras los hombres cargaban las otras cosas, Cetarti vació la heladera y el roperito. Escondió el cajón de los insectos debajo de su colchón y después de que se fueron lo puso sobre la mesada, al lado de la pecera. Se sentó en el colchón y contó la plata que le quedaba: doce mil setecientos cuarenta pesos y monedas. Fumó cambiando canales en la televisión hasta que se hizo la hora de llamar a Duarte. En ese lapso descartó comprarse un auto, no le convenía. Con un auto y porro era un problema pasar cualquier frontera, en colectivo era más fácil. Porque también había empezado a pensar en eso: podía irse del país. Pensó en Brasil, le gustó la idea de estar en la playa y ser extranjero. Escuchar un idioma distinto, no entender a las personas.

35

Menos encorvada y con un poco más de seguridad en los movimientos, su madre caminó hasta la cabeza de la víbora (una lampalagua enorme) y le disparó. La serpiente no dejó de moverse. A Danielito le dio miedo y le dijo a su madre que seguía viva.

—No, no —dijo su madre—. Las víboras se siguen moviendo después de muertas, un rato largo.

Su madre se movió hasta una parte especialmente abultada del cuerpo de la víbora y sacó un cuchillo. Abrió el cuerpo de un tajo y de adentro extrajo un lechón desarticulado, con la mayoría de los huesos rotos. De repente, Danielito sintió unas intensas ganas de orinar. Sacó la vista de la escena y descubrió que estaban en el cementerio de Gancedo, bajo el sol rajante. Comenzó a buscar un lugar para orinar pero en todos lados del cementerio había, de repente, gente mirando. Era imposible orinar sin que alguien lo viera. Sentía que la vejiga iba a estallarle, pero justamente gracias a ese dolor pudo primero advertir lo extraño de la situación, después caer en la cuenta de que estaba soñando y finalmente despertar con lo justo para no mearse en la cama. Volviendo del baño se sirvió un vaso de Coca-Cola de la heladera y se lo tomó sentado en la oscuridad de la cocina. Después volvió a la cama y se durmió como un tronco. A la mañana desayunó morosamente, mirando los noticieros en la televisión. Pensaba con muy poco entusiasmo en que tenía que ir a enterrar los perros. Esta tarea en sí no le planteaba mayor problema, lo que no quería era ir a la casa de su madre. Había sido una estupidez dejar los perros ahí. Si los hubiera dejado en su casa los estaría enterrando en ese mismo momento. Y tenía que ir sí o sí, ya debían estar hinchados y empezando a echar olor. Se vistió, armó un porro y buscó las llaves de la casa de su madre. Antes de abrir el portón, fue al patio y cargó en el auto una bolsa de cal viva.

Los perros efectivamente ya estaban hinchados y con olor. El empaquetamiento había sido eficaz, las bolsas y la cinta habían resistido el cambio de volumen, pero el olor era fuerte. Gracias a la marihuana, la operación de cavar el pozo (un metro y medio por dos de lado, dos metros de hondo) fue llevadera. Los tapó primero vaciando la bolsa de cal encima de los cuerpos y agregando después capas de medio metro de tierra, aplastando una antes de echar la otra. Después volvió a la puerta, agarró la caja con las cenizas de su madre, fue al baño y las tiró al inodoro. Apretó el botón del depósito de agua tres veces hasta que no quedó ningún rastro gris contra el blanco de la taza. Las

155

cenizas de su padre y la caja de zapatos con los huesos del chico que habían ido a buscar a Gancedo las encontró fácil: estaban en la cama de su madre, del lado que ella no ocupaba. Echó las cenizas de su padre al inodoro y con los huesos del anterior portador de su nombre hizo lo mismo, aunque primero los tuvo que meter en una bolsa y molerlos con un martillo para que pasaran. Después fue hasta el patio con las dos urnas de madera y la caja de cartón y les prendió fuego con alcohol y fósforos.

—Hiciste bien —le dijo Duarte horas más tarde, en la oscuridad de la cabina de la camioneta, con la cara apenas iluminada por el resplandor del tablero—. Si los hubieras enterrado o hubieras guardado las cenizas, iban a estar ahí siempre. Es muy sano, me parece. Se fueron, ya no están más.

—A los perros no los quemé —dijo Danielito—, los enterré nomás.

—Bueno pero son perros, qué te importa. Ni siquiera eran tuyos.

Duarte tenía razón, los perros no importaban. Los restos de su familia ahora circulaban por las profundidades de la red cloacal de Lapachito.

—¿Adónde va el agua de las cloacas?

—Ni idea —dijo Duarte. Danielito había visto una vez un documental sobre la repotabilización en redes cloacales, y se estremeció de pensar que en Lapachito hicieran lo mismo y algún día terminara tomando un vaso de agua con restos de las cenizas. No tenía que tomar agua de la canilla, por lo menos por un tiempo.

Eran las doce de la noche y hacía rato ya que habían salido del Chaco y entrado a Santiago del Estero, habían pasado largamente Quimilí, y faltaban unos kilómetros para Suncho Corral. Se movían por rutas laterales, muy poco transitadas.

—Y vos cómo estás.

—Bien —dijo Danielito.

Duarte se quedó unos segundos en silencio y después volvió a hablar.

—¿Sabés qué tenés que hacer ahora, vos? Irte de viaje. Si tenés guita hijo de puta, no gastás nada. Ahora va a venir un lindo toco aparte, con eso sólo te alcanza y sobra. Andate no sé, a Mar del Plata. Qué Mar del Plata. A Brasil andate. Instalate un mes en un hotel a todo culo, comiendo ananá en la playa, ahí, con pendejas chupándote la pija...

A Danielito le gustó la idea de comer ananá, se imaginó el jugo fresco y dulce fluyendo por los dientes al morder la pulpa amarilla. El resto de las cosas era como si Duarte le estuviera leyendo los titulares de un diario de otro planeta.

—En serio, pibe, la vida no es todo el día encerrado viendo tele. Te va a hacer bien cambiar un poco el aire, especialmente ahora.

Danielito hizo un gesto vago como para responderle algo, pero no le dijo nada. Duarte puso un cassete de Jorge Corona en el estéreo, y durante cuarenta y cinco minutos escucharon chistes sobre gauchos que se culeaban chanchas, mexicanos que gritaban «¡Viva la menstruación!» y otros por el estilo. Pararon en una estación de servicio pasando Brea Pozo, Duarte bajó para cargar gasoil y le dio cincuenta pesos a Danielito, para que fuera a comprar sándwiches y gaseosas en el bar.

—En media hora entramos a las salinas y ahí ya no hay nada. Comprate un par de botellas de agua mineral también, por las dudas.

Mientras esperaba para pagar, vio que Duarte se metía en la parte de atrás de la ambulancia, seguramente para chequear que todo anduviese bien. Ya unos kilómetros adentro del salar, Duarte puso Radio Nacional y le dijo a Danielito que armara uno. Había luna llena, la luz rebotaba en la planicie salina y se veía perfecto, así que Duarte apagó los faros de la camioneta. Fumaron sin hablar, escuchando noticieros provinciales musicalizados con folklore de distintas regiones, mientras veían pasar el desértico paisaje, iluminado como con luz negra.

Llegaron a Córdoba a las diez menos cuarto de la mañana. Duarte se manejó evitando los accesos principales, hasta llegar a un barrio bastante deprimente. Estacionó en el frente de una casa derruida que tenía un jardincito delantero abandonado, convertido en un yuyal de plantas resecas. Le dijo a Danielito que esperara un rato. Se bajó, atravesó el yuyal hasta la puerta de la casa y golpeó.

36

Cetarti cerró el portón y echó llave desde adentro. El tipo que manejaba, un hombretón un poco más alto que Duarte, apagó el motor y se bajó de la ambulancia. Tenía más o menos la misma edad de Cetarti, llevaba guardapolvo y un corte de pelo tipo militar o policía y evitaba el contacto visual. Duarte los presentó como «Danielito, Javier». Se produjeron unos segundos de silencio un poco incómodo, que volvió a romper Duarte diciendo que tenía que ir a comprar algunas cosas y que no podía ir con la ambulancia cargada. Le pidió ayuda al otro y entre los dos bajaron una camilla con ruedas plegables, sobre la que estaba una mujer en estado aparente de inconsciencia. Duarte le había explicado que la mujer tenía problemas de Alzheimer y se autoagredía y que por eso estaba sedada y atada. La acomodaron en el dormitorio más alejado de la calle. El grandote bajó un tubo de oxígeno de la ambulancia y lo conectaron a una mascarilla que ataron a la cara de la mujer y un bolso grande que dejó al lado de la camilla. Duarte dijo que listo, que la dejaran tranquila, que cuando volviera, él se ocupaba. Salieron del cuarto y lo cerraron. Duarte le preguntó a Cetarti si de casualidad tenía la llave del dormitorio. Cetarti no sabía, fue a buscar el llavero, y probaron hasta encontrar una que coincidiera, y la separaron después de cerrar. Duarte dijo que iba a traer el desayuno, si alguien quería algo en especial. Cetarti dijo que no, que para él nada. El otro pidió café con leche y facturas con dulce de membrillo. Había bajado un bolsito y estaba parado en el medio del living vacío, claramente incómodo. Cetarti les ofreció el baño, les aclaró que no había toallas limpias y el agua era fría. Los dos dijeron que no había problema.

—Andá vos, Daniel, yo me baño a la vuelta.

Después de indicarle el baño al otro, Cetarti acompañó a Duarte para volverle a abrir el garaje. Antes de subir, Duarte buscó debajo del asiento delantero de la camioneta y sacó una plata y un paquete envuelto en bolsas de nylon plegadas sobre sí mismas. Le pasó la bolsa a Cetarti, éste desarmó el paquete y se encontró con un terrón de marihuana del tamaño de dos panes de jabón para ropa.

—Es casi medio kilo. ¿Está bien?

Cetarti le dijo que sí, que más que bien.

—Esto en la calle son unos setecientos mangos. Y acá —le dio la plata— hay dos lucas trescientos. El resto te lo doy allá, te vas a tener que venir con nosotros. Después te dejamos en la terminal.

Después de cerrar el portón, Cetarti armó uno grueso para probar y guardó el terrón y la plata en

160

una de las bolsas con su ropa. Sacó el colchón de su hermano para que los otros también pudieran sentarse, y se echó en el suyo a fumar y ver televisión. El grandote amigo de Duarte entró a la cocina. Tenía el pelo mojado, se había cambiado de ropa, traía el bolso en la mano y un toallón en la otra. Le preguntó si podía colgar la toalla en algún lado. Cetarti le indicó cómo salir al patio y le dijo que ahí había una soga y broches. Dejó el televisor en Discovery Channel porque estaba empezando un especial de dos horas sobre la tumba perdida de Jesucristo que había visto incompleto. El otro volvió, se detuvo en la mesada para mirar la pecera con el ajolote, agachándose para ver bien. Después se quedó parado siguiendo lo que pasaba en la televisión. Cetarti le señaló el otro extremo del colchón y le dijo que se sentara. El otro dijo que no, que así estaba bien. Le ofreció fumar, eso lo aceptó con un gesto. Miraron la televisión en silencio durante más de una hora. La idea del documental era tratar de establecer si una tumba familiar, encontrada durante una excavación con dinamita cerca de Jerusalén en 1980, era la tumba de Jesús. La mayoría de las imágenes eran de arqueólogos barbudos mirando unos osarios de piedra y descifrando los nombres, entre ellos los de Yoshua bar Yosef (Jesús hijo de José), María Magdalena y otros, a partir de «inscripciones» que a Cetarti le parecieron rayas hechas al azar sobre la piedra. El porro era buenísimo. Al rato volvió Duarte con varias bolsas de supermercado, entre otras cosas con una docena de facturas con dulce de membrillo y un termo con café

161

con leche. Tal como había dicho, Cetarti no comió nada. Los otros dos se limpiaron las facturas y el termo entero de café con leche. Para comer Duarte se sentó en el extremo desocupado del colchón, y el grandote comió parado, a medias interesado en el documental y a medias leyendo el artículo del calamar gigante en la pared. Cuando terminó el documental (al final una pavada, la famosa «tumba de Cristo» también podía ser de cualquier familia, esos nombres podían encontrarse en un veinte por ciento de los sepulcros familiares de la época), Cetarti cambió a un noticiero local. Duarte se lavó las manos en la pileta de la mesada y agarró una de las bolsas que había traído. Dijo que iba a limpiar a la señora y le iba a dar de comer. El grandote le preguntó a Duarte si podía salir a dar una vuelta. Duarte le dijo que sí y le pidió a Cetarti que le indicara dónde tomar un taxi para ir al centro.

Mientras Duarte limpiaba a la mujer, Cetarti subió el volumen del televisor para no impresionarse con las imágenes que le traían a la cabeza los ruidos acuáticos que venían del baño. Miró durante un rato una película en el canal católico sobre la historia de un cura italiano que tenía estigmas y hacía profecías apocalípticas: bolas de fuego caerán sobre la tierra, hambre y peste, etcétera. Después vino Duarte y se sentó en el colchón. Se había bañado y olía a desodorante. Por cortesía, Cetarti cambió canales y dejó en un documental sobre aviones en History Channel. El otro lo reconoció enseguida, ya debía haberlo visto.

162

—Uh, buenísimo —dijo—, los destructores de las represas del Ruhr. Terribles hijos de puta, ahogaron a un montón de gente de noche, inundaron pueblos enteros. Yo armé un Avro Lancaster. Escala 1/72. —Separó los dedos unos treinta y cinco centímetros para indicar alguna dimensión de la maqueta—. Vos lo viste en casa, te lo mostré.

Cetarti le dijo que no se acordaba. Le preguntó si había terminado el B-36. Duarte le contestó que sí, que había quedado muy bien.

—Lo pinté con los colores de las bases de Alaska, rojo en las puntas de ala y la cola, para encontrarlos en la nieve si se caían.

Sacó un porro del bolsillo, lo prendió un par de veces y se lo ofreció a Cetarti.

—Es impresionante cómo cambió esto sin toda la basura que tenía adentro. Parece más grande. ¿Qué hiciste con todo eso?

—Algunas cosas las tiré, otras las vendí. Me olvidaba, le guardé algo.

Se levantó y le trajo la bolsa con videos.

—Esto estaba acá entre las cosas, las iba a vender pero cuando supe que venía se las guardé.

Duarte revisó los títulos.

—Ehm, casi todo *Vivid* y *Private*, las cosas que menos me gustan. Pero gracias, le vamos a pegar una revisada a ver si hay algo bueno.

Después de fumar un par de veces más, Cetarti estaba especialmente dado vuelta. Duarte le siguió hablando. Cetarti lo escuchaba como si la voz le llegara de un lugar muy lejano. De tanto en tanto incluso se escuchaba responderle. En un momento, Duarte desapareció de su campo visual y volvió a entrar después de algún rato con algo en la mano, mostrándoselo y preguntando algo. Cetarti miró lo que el otro tenía en la mano: era el escarabajo enorme de la colección de insectos muertos.

—Eso es de mi hermano —dijo, y con algún trabajo le explicó lo de la pared electrificada del fondo. Duarte le pidió que le mostrara. Salieron al patio y Cetarti lo llevó al asador. Le gustó salir afuera, soplaba algo de viento y sintió que la cabeza se le despejaba un poco. Duarte estudió la pila de animales muertos y Duarte agarró un palito con la aparente intención de revolver en la pila de pequeños cadáveres.

—No los toque, yo los quise limpiar y la pared me dio una patada que casi me mata.

Duarte tiró el palito al piso. Dijo que era un poco siniestro. Cetarti respondió que sí.

—Me pareció raro que acá hubiera de estos cascarudos. Allá en Lapachito ahora hay unos así de grandes, que son venenosos.

—Sí —dijo Cetarti—, vi uno en la estación de servicio que está sobre la ruta, a la salida de Lapachito. Pero no sé, que yo sepa no hay cascarudos venenosos.

—Éstos son venenosos. Matan bichos y se los comen. A mí, uno me mató un perro. Un perro chiquito que yo tenía. Lo mordió en una pata y primero se le pudrió alrededor de la herida, después la pata, después el cuarto trasero y a la noche se murió, largaba un olor horrible.

—Sí, en la estación me contaron de un hombre

que perdió dos dedos en cuestión de horas. Y usted cómo supo que era el cascarudo.

—Porque cuando lo encuentro muerto en el patio, estaba el bicho comiéndolo. Había empezado por donde estaba más podrido.

—Pero puede haber muerto de otra cosa entonces.

—No, fue el cascarudo. Yo lo agarré y lo puse en un frasco, y después con Danielito hicimos un experimento. Lo pusimos en una pecera vieja y le tiramos un ratón adentro. Y fue igual. Incluso tardó un poco en agarrarlo porque el ratón se ponía siempre en la otra punta de la pecera, y estos bichos se mueven lento. Pero se ve que en algún momento lo enganchó y lo mordió. Y el ratón, igual que el perro. Se pudrió enseguida. El cascarudo se acovachó en una esquina de la pecera y esperó, era como si estuviera muerto también. Y cuando el ratón se terminó de morir, el bicho como que se despertó y se lo comió entero. Tardó un día y medio en comérselo, no paraba. Dejó los huesitos limpios.

Cetarti se imaginó las caras de Duarte y el tal Danielito observando la escena a través del vidrio de la pecera.

—A mí me dio la impresión como de estar viendo algo medio prehistórico.

—Y después qué hicieron con el cascarudo.

—Lo matamos de un pisotón, claro. Daba miedo. Menos mal que se mueven lento.

—Entonces capaz que no es veneno, sino algo así como bacterias. El dragón de Komodo caza así. Tiene la saliva llena de bacterias, muerde a un animal y después lo sigue, esperando que se muera de la septicemia.

—Puede ser.

Volvieron a entrar. En la puerta donde habían metido a la señora golpeaban desde adentro. También se movía el picaporte, pero la cerradura estaba con llave. Duarte abrió la puerta. La mujer le dijo que quería ir al baño. Estaba vestida con un jogging rosa y evidentemente se había vomitado encima. Tenía la barbilla, la pechera del buzo y parte del pantalón manchados de vómito.

—Uh, mamita —dijo Duarte—, devolviste todo el desayuno.

37

La casa era bastante deprimente, una casa vacía, con paredes descascaradas. Estaba limpia, olía a porro y desinfectante para pisos. El dueño de casa era un tipo que dormía en la cocina, casi sin otro mueble que un colchón, un televisor y un par de bolsas con ropa. El tipo tenía poco menos de cuarenta años y no parecía andar muy bien. Ojeroso y con la mirada bastante perdida, los ayudó a instalarse en una de las habitaciones vacías. En la mesada de la cocina había una pecera con un ajolote, Danielito se entretuvo un rato mirando los movimientos milimétricos del animal. Pensó que capaz se podría comprar una pecera, le hacía ilusión la idea de sentarse a mirar los movimientos de los peces. Al lado de la pecera había una especie de cajón de ropero o de cómoda angosta, con montones de cuerpos de insectos resecos, incluido un cascarudo grande, parecido a los que había en Lapachito. Duarte vio lo que estaba mirando y le hizo un gesto arqueando las cejas y mordiéndose el labio inferior.

Mientras Duarte fue de compras, Danielito fumó con el dueño de casa mirando un documental sobre una hipotética tumba de Cristo abajo del jardín de unos condominios en los suburbios de Jerusalén. Un rato largo después volvió Duarte con facturas y café con leche. Mientras desayunaba, aparte de la televisión se distrajo mirando las cosas que el tipo tenía colgadas en una de las paredes de la cocina: un cuadrito con un elefante y unas páginas de la revista *Muy interesante,* pegadas con cinta adhesiva al revoque, con la noticia de una expedición española que salía para tratar de filmar un calamar gigante vivo.

Después de comer, Duarte anunció que iba a lavar a la señora. Danielito le preguntó si podía salir a dar una vuelta.

Caminó como le indicaron hasta la primera avenida grande, después de esperar un rato consiguió un taxi y le pidió al chofer que lo llevara hasta el centro. Comparada con Lapachito, Córdoba era una ciudad muy grande y Danielito dio vueltas por el centro durante un par de horas, paseó por las calles peatonales mirando los negocios y las vidrieras. En una galería descubrió que había varios cines (en Lapachito no había ni uno) y revisó los horarios. Pasado el mediodía se metió en la primera función de una película de terror que le resultó bastante aburrida, pero disfrutó de la oscuridad, el aire acondicionado, el olor a confortable y limpio y, fundamentalmente, de la sensación de estar en ninguna parte. Cuando salió del cine eran más de las tres de la tarde. Almorzó en un MacDonald's leyendo el diario local. Debajo de las tiras cómicas había una serie de avisos de agencias de turismo con ofertas por temporada baja. Buzios, Recife, Salvador, Angra Dos Reis. Las fotos mostraban exuberancia vegetal, playas y hoteles con pisos brillantes y mesas llenas de frutas. Miró los precios y sacó cuentas, Duarte tenía razón: si era por la plata con esto sólo que iba a sacar ahora se podía ir seis o siete meses a Brasil, en un hotel bueno y con televisión por cable en la habitación. Demoró lo más posible su regreso a la casa, y logró estirar la cosa hasta las siete de la tarde. Cuando llegó, Duarte y el dueño de casa estaban sentados uno en cada colchón, mirando la televisión. Tenían los ojos rojísimos. Duarte le preguntó cómo le había ido, Danielito contestó que bien, pero que estaba muerto y que iba a dormir un rato. Fue hasta la parte de atrás de la ambulancia, desplegó una colchoneta sobre el lugar que había ocupado la camilla y se tiró a dormir. Tuvo un sueño bastante estúpido: leía las hojas de *Muy Interesante* pegadas a la pared de la cocina. Las leía varias veces. Después le decía al dueño de la casa, que estaba sentado contra la pared: «Los japoneses encontraron uno, y le cortaron el brazo.»

Lo despertó Duarte un par de horas más tarde, habían comprado pizza y Coca-Cola. En la televisión estaban las noticias, así que Danielito prefirió comer hojeando unas revistas *Selecciones* sacadas de la pila que había en el baño. Se sentó sobre el piso, un poco

169

apartado del colchón. En un momento Duarte le tocó el hombro.

—Ahí está lo que te decía —dijo señalando el televisor con una porción de pizza a medio comer.

En la pantalla estaba un elefante, aparentemente la elefanta que le había contado Duarte, rodeada de un rectángulo de, calculó, no más de veinte por diez metros de tierra reseca. En un rincón, el animal comía sin ganas, seleccionando lo mejorcito de una pequeña parva de fruta mustia. El locutor del noticiero informaba que, después de mucho cuidado, el estado de salud de la elefanta mejoraba notablemente. Y, efectivamente, bailaba. O, mejor dicho, no paraba de mover las patas.

—No es que baile baile. Tira pataditas, ves —dijo Duarte—. Hay mucho nervio ahí. Si no fuera tan vieja las patadas serían más rápidas. La han torturado andá a saber hace cuánto tiempo, y todavía devuelve miedo con lo mejor de sí misma, pobrecita, con lo poco que tiene.

A Danielito le alegró que la elefanta estuviera mejor. Duarte estaba un poco dado vuelta y seguía hablando.

—Me encanta, me la llevaría a mi casa. Y sabés qué hago: le doy máquina, la cago a palos todos los días. Hasta que llegue la noche en que no aguante más, como los elefantes esos de la India.

—Y usted dice que a ver si el bicho va y algún día le toca la puerta.

—Ha, ha, sí, sí —dijo Duarte—. Lo mismo ésta ya no le golpea la puerta a nadie.

—Y si eso pasa —preguntó el otro—, si va y le toca la puerta, ¿usted le abre?

Duarte soltó una risita.

—No, claro, hehe. Ni en pedo. Nunca. Estás loco vos.

38

Era de noche y Cetarti estaba en el medio del mar, en un pequeño bote de pesca, en plena temporada de calamares Humboldt. Acompañando a Cetarti estaba el dueño del bote, cuya presencia sentía pero en ningún momento entraba físicamente en cuadro. El hombre le explicaba que estaban sobre un banco de sardinas y que los calamares estaban comiendo. El mar estaba calmo y reinaba el silencio. Mirando hacia al agua, en la profundidad se veía el resplandor discontinuamente verde de miles de ojos fosforescentes relampagueando en un frenesí de depredación.

—Estos animales comen con ferocidad porque el hambre los tortura siempre. Si nos caemos al agua ahora, no duramos ni dos minutos.

La embarcación se movió bruscamente, y la mano del dueño del bote se agarró a su hombro, empezó a sacudirlo. Cetarti trató de aferrarse a lo que pudiera para no ir a parar al agua. El dueño del bote lo sacudió más fuerte, Cetarti estaba aterrorizado y se agarró al brazo del hombre.

—Eh, qué te pasa.

Abrió los ojos y tardó unas fracciones de segundo en reconocer a Duarte, que lo sacudía para despertarlo. Dijo que nada, que estaba soñando. Duarte le dijo que se preparara, que salían en media hora. Cetarti se desperezó y fue al baño a lavarse la cara. Cuando salió, se cruzó con el otro, que llevaba la camilla vacía para el garaje. Duarte estaba en la habitación de la mujer, vistiéndola con un trajecito sastre que parecía quedarle un poco grande. Cetarti volvió a la cocina y prendió el televisor: eran las siete de la mañana. Al rato entró Duarte, vestido con un traje azul bastante bien, y zapatos lustrados. El otro fue y vino un par de veces llevando cosas a la ambulancia. Finalmente también vino a la cocina y dijo que listo, que ya estaba todo. Se puso un guardapolvo blanco. Los dos estaban bastante serios. Duarte le pasó el otro a Cetarti y le dijo que se lo pusiera.

—Vos vas a ir atrás, pero por las dudas.

Duarte fue hasta la habitación de la mujer y la llevó hasta la ambulancia, la mujer caminaba como una sonámbula. Cetarti por las dudas armó un bolsito con una muda de ropa, el terrón de marihuana y el fajo de billetes agarrados con una bandita elástica. Duarte se sentó al volante de la ambulancia y la señora al medio. El grandote le pidió las llaves del garaje a Cetarti, lo ayudó a acomodarse en la parte de atrás de la ambulancia y se ocupó de abrir y cerrar el portón.

173

El viaje a Villa María se hizo un poco largo porque iban por caminos laterales, pero Cetarti la pasó bastante bien: iba fumando, sacaba el humo por la ventanillita abierta y se distraía con el continuo discurrir del paisaje a lo largo del camino. Pensaba en irse, no sabía adónde todavía, pero en irse. Llegaron poco antes de las doce y media y estacionaron la ambulancia delante del banco. Duarte bajó con la mujer, en una mano llevaba un portafolio de cuero (probablemente el mismo que le había visto en la comisaría, cuando se conocieron) y con la otra agarraba a la señora para sostenerla. Duarte se asomó a la ventanilla trasera y le dijo a Cetarti que la cerrara hasta que salieran del pueblo. Cetarti la cerró casi toda, pero dejó una pequeña rendija para poder espiar cómo la pareja cruzaba la calle y entraba al banco con alguna dificultad por una puerta giratoria. Sintió movimientos en el asiento de adelante, dedujo que el otro se estaba corriendo al asiento del conductor. Escuchó también que prendía la radio. Los otros tardaron poco más de media hora en volver, para entonces se había aburrido de espiar por la ventanilla y la había cerrado del todo, se enteró del acontecimiento por el ruido de las puertas y el balanceo del vehículo. No escuchó que Duarte y el otro hablaran, la señora balbuceaba algo pero no alcanzó a entender bien qué decía. El otro le dio arranque a la camioneta y se volvieron a poner en marcha.

Luego de dos horas de viaje, sintió que la ambulancia se detenía. Miró por la ventanillita: estaban en una estación de servicio medio desierta, en algún pueblo chico. Se abrió la puerta de atrás y apareció la cara sonriente de Duarte, bastante más distendido que a la mañana. Duarte se metió adentro y sacó del bolsillo un fajo de dólares, en billetes de a cincuenta y se los dio. Cetarti los metió al bolso sin contarlos. Le preguntó a Duarte dónde estaban.

—Sacanta, es esto. Es lo más cerca de Córdoba que vamos a llegar, creo que te conviene quedarte acá.

Le dijo que paraban para acomodar a la señora y comer algo en una parrillita que había al lado de la estación, le preguntó si quería almorzar, que ellos después lo acercaban a la terminal de ómnibus. Cetarti estaba con hambre, así que aceptó y bajó con su bolsito. Los otros dos sacaron a la señora de la cabina y la subieron a la parte de atrás, la ataron a la camilla y la conectaron al tubo de oxígeno. Después el grandote llevó la camioneta a cargar gasoil, y mientras tanto Duarte y Cetarti fueron caminando la veintena de metros que había hasta la parrilla. Se acomodaron en una mesa cerca del televisor. Duarte pidió parrillada para tres y papas fritas, una botella de vino y una Coca-Cola grande. Cetarti pidió cerveza. Comieron sin hablar mucho, sus compañeros de mesa estaban distendidos pero cada uno en la suya, Duarte mirando la televisión y el otro hojeando el diario. Cetarti tampoco tenía mucho para decir, así que disfrutó de la comida y de la suave borrachera que le iba imprimiendo la cerveza. Decidió que no se iba a volver a Córdoba. Le preguntó a Duarte si ellos ahora se estaban volviendo a Lapachito, Duarte le respondió que sí.

—¿Puedo ir con ustedes? De Lapachito voy a Resistencia y de ahí sigo viaje.

—Y adónde vas.

—No sé. Pero no vuelvo a Córdoba.

Le dijo que no había problema si no querían, pero que si lo llevaban se ahorraba los pasajes. Los otros dos se miraron, y Duarte le dijo que sí, que lo único que iba a tener que ir como hasta ahora, en la parte de atrás y con la vieja. Cetarti les dijo que estaba perfecto, que muchas gracias. No comió más, pero terminó su cerveza, pidió otra y preguntó dónde quedaba el baño.

39

—A éste lo limpiamos con la vieja a la noche en Santiago, se jode por amarrete —le dijo Duarte medio en voz baja, cuando el otro se levantó para ir al baño—. Vos cuando paramos bajás, le abrís la puerta y le decís que tenés que bajar a la vieja y le pedís que te ayude con la camilla. Son tres lucas más para cada uno y no nos vio nadie.

Danielito asintió con la cabeza. Hojeaba el diario buscando ofertas de turismo en Brasil, pero no había nada.

Pasando Sebastián Elcano, poco más de cien kilómetros antes de la frontera con Santiago del Estero, empezó a caer la tardecita. Duarte le dijo que estaba fusilado y quería dormir un poco. Pararon a un costado de la ruta y cambiaron lugares. Al rato roncaba dormidísimo. Danielito esperó un poco más y cuando oscureció del todo abrió la ventanilla de la ambulancia y prendió un porro que tenía en el bolsillo del guardapolvo. La temperatura era agradable y disfrutaba del silencio, o más bien de esa especie de ruido blanco que constituía el sonido del viento circulando por la ventanilla, y cada tanto el golpe de los insectos reventando contra el parabrisas. Cuando cruzó la frontera ya estaba bastante de la cabeza e invadido por una sensación de bienestar poco habitual aun para el estado. Puso la radio y la escuchó con la mente casi en blanco. Los faros del auto tiraban veinte metros con luz baja y ciento cincuenta con luz alta. Como había poco tránsito (muy cada tanto se cruzaba con algún otro vehículo), dejó puesta la luz alta. En un momento descubrió algo al final del cono de luz proyectado por los faros. El bulto se acercó un poco más: era una vaca. Danielito pensó en las posibilidades matemáticas de encontrarse con una vaca en el medio de una ruta desierta de Santiago del Estero. Sabía que estaba yendo rápido (miró el velocímetro: ciento veinte kilómetros por hora) y que tenía que empezar a frenar o ver si la vaca se movía, para esquivarla. Después de meditarlo un poco decidió frenar, pero hasta que encontró el pedal la vaca ya estaba casi encima del vehículo. Lo último que vio Danielito fue justamente la cara del animal, que lo miraba casi a los ojos desde una distancia de dos metros, con una expresión pacífica y (le pareció, aunque no alcanzó a formular enteramente el pensamiento) de leve curiosidad.

40

Cetarti recobró la consciencia y de a poco fue entendiendo la situación: el cuerpo de la mujer estaba encima de él, y la ambulancia estaba volcada sobre el techo. Todo estaba en silencio y sólo se oían leves ruidos del motor: crujidos del metal perdiendo temperatura, líquidos que bubujeaban o goteaban. El cuerpo de la mujer estaba caliente pero desarmado, sin ninguna clase de tensión muscular. La recordó toda vomitada y se sacó de encima el cuerpo con un gesto de asco. Gateó hasta la puerta. La abrió desde adentro y salió al exterior. Había luna llena y nada de nubes, así que podía ver perfecto a pesar de que las luces de la ambulancia se habían apagado en el choque. Estaban a una decena de metros de la ruta, en una especie de cañadón en declive. Debían haber tumbado un par de veces hasta llegar ahí. Se estiró, le dolía sordamente la cara externa del brazo y la pierna derechos pero era soportable. Caminó hasta la parte de adelante. El grandote amigo de Duarte estaba indudablemente muerto, con la cabeza destruida por un golpe frontal contra el parabrisas. La puerta del lado de Duarte no estaba y Duarte tampoco: lo más probable es que hubiera salido volando en uno de los tumbos. Miró a los alrededores: si estaba por ahí, no se había levantado. Sobre el interior del techo de la cabina (es decir contra el suelo) estaba el maletín que llevaba Duarte cuando salió del banco. Lo abrió: había un montón de fajos iguales al que le había dado en Sacanta. Volvió a la parte de atrás y buscó su bolso. Vació adentro el contenido del maletín y salió caminando, primero alejado de la ruta para no ser visto si paraba alguien, y después a medida que se alejaba del lugar del choque sí, fue volviendo a subir hacia la banquina. Llegó a un cartel verde que indicaba que el pueblo más cercano era Atamisqui, a nueve kilómetros.

41

En la terminal de Atamisqui, Cetarti consiguió un colectivo a Resistencia. Ahí esperó dos horas y tomó otro semirrápido a Formosa. En Formosa descansó una noche en un hotel del centro y al otro día cruzó a Alberdi, Paraguay, en lancha. Veinticuatro horas más tarde, estaba en el puente de la frontera entre Ciudad del Este y Foz do Iguazú. Había comprado una lata de Coca-Cola en el último quiosco antes del cruce y se la tomó a la mitad del puente, parado en uno de los balconcitos de hormigón sobre el río, apoyado contra la baranda de cemento. Después tiró la lata al vacío. Se quedó quieto mirando caer el envase de aluminio, que por la altura y la densidad del aire tardó tal vez más de un minuto en llegar abajo. Cetarti pensó que desde esa altura, a un bulto de peso y forma adecuadas, la superficie del agua le ofrecería la misma resistencia que el pavimento. La lata tocó el río y fue arrastrada por la corriente. Cetarti se apartó de la baranda y siguió caminando hacia Brasil. Se acordó del ajolote que había dejado en la casa de su hermano: se iba a morir de hambre. Recordó lo que le habían dicho en la veterinaria: los ajolotes soportan ayunos de hasta una semana. ¿Cuándo había comido por última vez? Como mínimo, hacía cuatro días. Se lo imaginó en ese momento, posado en el fondo de la pecera, en la oscuridad de la casa cerrada, preguntándose a su tosca manera en qué momento una sombra borrosa vendría a echar alimento sobre la superficie del agua. Percibiendo el vacío y la lenta levedad del cuerpo, crecientes con el correr de los días.